GEORGES BERNANOS

Un crime

PLON

PREMIÈRE PARTIE

I

— Qui va là? C'est toi, Phémie?

Mais il était peu probable que la sonneuse vînt si tard au presbytère. Sous la fenêtre, le regard anxieux de la vieille bonne ne pouvait guère voir plus loin que le premier tournant de l'allée; le petit jardin se perdait au-delà, dans les ténèbres.

— C'est-i vous, Phémie! reprit-elle sans conviction, d'une voix maintenant tout à fait tremblante.

Elle n'osait plus fermer la fenêtre, et pourtant le sourd roulement du vent au fond de la vallée grandissant de minute en minute comme chaque soir ne s'apaiserait qu'avec les premiers brouillards de l'aube. Mais elle redoutait plus que la nuit l'odeur fade de cette maison solitaire pleine des souvenirs d'un mort. Un long moment, ses deux mains restèrent crispées sur le montant de la fenêtre; elle dut faire un effort pour les desserrer. Comme ses doigts s'attardaient encore sur l'espagnolette, elle poussa un cri de terreur.

— Dieu! que vous m'avez fait crainte. Par où que vous êtes montée, sans plus de bruit qu'une belette, mams'elle Phémie?

La fille répondit en riant :

— Ben, par le lavoir, donc. Drôle de gardienne que vous faites, sans reproche, mademoiselle Céleste! On entre ici comme dans le moulin du père Anselme, parole d'honneur.

Sans attendre la réponse, elle prit une tasse sur l'étagère et se mit tranquillement en demeure de la remplir de genièvre.

— Vous allez tout de même pas me boire ma goutte?

— On voit bien que vous restez là au chaud, mademoiselle Céleste. Le vent vient de tourner du côté des Trois-Evêques. Il m'a autant dire cinglé les os. Y a pas de fichu qui tienne là contre!

Elle s'essuya les lèvres à son tablier, cracha poliment dans les cendres, et reprit d'un ton où la vieille femme méfiante crut sentir un léger malaise, dont elle ne s'expliqua pas d'abord la cause :

— Vaudrait mieux vous coucher, mademoiselle Céleste, votre curé est depuis longtemps sous ses draps, vous pouvez me croire. Pensez! La moto du messager vient d'arriver chez Merle.

Paraît que la brume descendait derrière lui presque aussi vite... Il ne passera plus une voiture d'ici demain par les cols.

— Savoir, ma petite. Un jeune curé, sa première paroisse, voyez-vous, y a pas plus simple, plus naïf. Avec ça, ces gens de Grenoble, ils ne connaissent rien à nos montagnes. Ecoutez...

Le ciel venait de vibrer d'un seul coup, presque sans bruit, du moins perceptible à l'oreille, et pourtant la terre parut en frémir jusque dans ses profondeurs, comme du battant d'une énorme cloche de bronze.

— Le vent vient de tourner encore un peu plus au nord, ma fine. Le voilà qui passe entre les Aiguilles Noires. Nous aurons du froid.

Elle remplit sa tasse, la choqua contre celle de Phémie et, de sa voix toujours un peu sifflante, elle reprit entre ses dents noires :

— Ça ne présage rien de bon.

— Tiens, mademoiselle Céleste, voilà que vous fumez la pipe à ct'heure?

— Touchez pas! dit la vieille.

Ses deux mains maigres et brunies, couleur de chanvre, aussi agiles que des mains de singe, volèrent à travers la table, et elle rapprocha d'elle l'assiette à fleurs, la tint si serrée contre sa poitrine que les plis de son caraco la recouvrirent presque tout entière.

— Qu'est-ce qui vous prend? C'est-i donc sacré, une pipe?

— C'était la sienne, dit la servante. Il l'a

posée là, telle quelle, deux heures avant de finir,
juste. Vous allez me croire folle, mams'elle Phémie, mais j'ai pas osé la toucher depuis. Tenez :
elle est encore toute bourrée. Des fois, aujour-
d'hui, en cirant les meubles, je me retournais, je
croyais voir le plat vide, avec une de ses grosses
mains dessus, qu'avaient tellement enflé dans les
derniers jours... Oh! j'ai pas peur des morts, non.
Mais notre ancien curé, voyez-vous, ça ne doit
pas être un mort comme les autres.

Elle repoussa l'assiette au milieu de la table,
avec précaution, revint s'asseoir sur sa chaise,
dans l'ombre.

— En voilà deux, tout de même, deux curés
que je vois mourir ici.

— Baste! le jeune aura bientôt fait de guérir
vos humeurs noires... Est-il vraiment si jeune
que ça, mams'elle Céleste?

— Oui... enfin, du moins je le suppose. Dans
les vingt-cinq ou trente, peut-être? Les gens pré-
tendent qu'il vient d'ailleurs, très loin, d'un
autre diocèse, comme ils disent. Mais pour en
savoir plus, bernique! Aucun de ces messieurs
du canton ne le connaît. Avec eux, ma fine, ça
va être dur!

— Vingt-cinq ou trente, pensez! A-t-il seulement l'idée d'une espèce de paroisse perdue
comme voilà celle-ci à dix lieues de la ville et
des routes? Parlez-moi des routes! On pourrait y
crever sans confession, cinq mois sur douze. Rap-
pelez-vous la mort du fils Duponchel, et l'auto

des Parisiens qu'a capoté l'année dernière... Brr...
Je le plains, moi, ce pauvre garçon.

— Ce garçon, grogna la vieille en haussant
les épaules. Voyez comme elle a dit ça, l'effron-
tée!

— Ben oui, quoi, un garçon! Et si fiérot qu'il
soit, mademoiselle Céleste, sûr et certain qu'il
n'en mènera pas large demain, quand il rendra
visite à M. le maire. Pensez qu'ils ont attendu
sur la place deux heures durant, et par une
bise!... Et quand la patache est arrivée, pas plus
de curé que sur ma main, c'est pas croyable.

— Possible qu'il aura été retenu à Grenoble.
Son bagage est déjà là depuis mardi. Oh! rien...
du moins pas grand-chose : deux malles et une
grande caisse de bois, mais d'un lourd. Des livres,
probable.

— Enfin, vous le prendrez quand il arrivera...
I faut pas se mettre la tête sens dessus dessous;
il n'y a pas de quoi s'affoler, mademoiselle Céleste. Je m'en vas vous souhaiter le bonsoir. Cou-
chez-vous donc au chaud près du poêle, une nuit
est bientôt passée.

Le regard de la vieille se fit tout à coup suppliant.

— Ecoutez, ma fine, pourquoi ne s'arrange-
rait-on pas cette nuit, nous deux, gentiment? J'ai
un peu de jambon fumé dans la cave et nous
ferons des grogs bien chauds, bien sucrés... Voyez-
vous ça, la langue vous en démange déjà... Dites
pas non.

La fille l'écoutait les yeux brillants, avec un singulier petit rire dans la gorge.

— Et qu'est-ce qu'elle penserait, ma tante, mams'elle Céleste? Justement qu'elle m'attendait ce soir pour mettre notre boisson en bouteilles. Mais... Mais attendez, on peut encore s'entendre, je m'en vas vous poser mes conditions.

— Quelles conditions? demanda la vieille d'une voix soupçonneuse. Faut pas vous moquer de moi, ma fine!

La sonneuse avait déjà posé la main sur la poignée de la porte.

— La pipe, dit-elle en éclatant d'un rire forcé qu'elle prolongea bien au-delà du temps nécessaire, je veux fumer la pipe du mort!

Elle fit quelques pas vers la table, sautant d'un pied sur l'autre, tantôt riant à grand bruit, tantôt fronçant les lèvres, comme si elle eût déjà tenu dans sa bouche cette pipe extraordinaire. La vieille essayait gauchement de partager sa gaieté, sans réussir à donner à ses traits une autre expression que celle d'une terreur servile, que trahissait d'ailleurs aussi, à chaque nouveau regard de la fille vers l'assiette à fleurs, le geste involontaire, vite réprimé, des deux petites mains grises.

— C'est pas sérieux, voyons, mams'elle Phémie, soupira-t-elle humblement. Je vous répète : qu'est-ce que vous diriez d'un bon grog tout de suite? Je vas faire chauffer l'eau.

Mais la sonneuse finit par s'arrêter à bout de souffle, et nouant son fichu sur la poitrine :

— Non, vrai, mams'elle Céleste, j'peux pas laisser ma tante dans l'embarras... A moins que...

Les yeux brillaient de malice, et elle évitait exprès le regard de la servante.

— Si le vent ne fraîchit pas trop, je viendrai peut-être vous réveiller cette nuit, pour l'histoire de rire, dit-elle.

— Alors vous resterez à la porte, ma fine, riposta la vieille désespérée, je n'ouvre à personne. A personne! entendez-vous! cria-t-elle encore une fois du haut de l'escalier. A pers...

Mais le vent, s'engouffrant brusquement dans le couloir ténébreux, lui coupa la parole :

— Vous auriez pu au moins fermer votre porte, maudite!...

Les socques de Phémie claquaient déjà sur le sol dur de l'allée. Céleste descendit les marches une à une, le dos au mur, tenant des deux mains sa jupe que le courant d'air gonflait comme une cloche. Une seconde d'accalmie entre deux bouffées rageuses lui permit de repousser l'énorme battant de chêne. La colère, sans dissiper tout à fait ses craintes, l'avait du moins dégourdie. Elle alluma la lampe du vestibule et résolut d'inspecter chaque pièce, avant d'aller s'étendre sur la paillasse.

Certes, nul recoin de cette maison qui ne lui fût familier, et pourtant elle la parcourut du haut en bas avec une inquiétude inexplicable. A sa grande surprise, la chambre du mort où elle n'entrait d'ordinaire qu'avec répugnance lui parut la seule pièce où elle pût goûter, ce soir, une espèce de sécurité. Un moment même, elle forma le dessein d'y traîner son matelas, puis le jugea trop lourd et, de son pas menu, trotta jusqu'à la cuisine pour y vérifier la fermeture des volets. La lampe du vestibule, dont elle avait baissé la mèche, répandait dans toute la pièce, avec l'odeur du pétrole, une légère fumée encore invisible mais qui la fit tousser plusieurs fois. Si légèrement que glissassent ses pantoufles de feutre, leur frottement sur le parquet lui en parut à la longue insupportable, et elle revint s'asseoir à sa table, la tête entre ses mains, vaguement attentive aux grands remous du vent dans la vallée, au balancement régulier, aussi régulier que le double battement d'un cœur d'homme et qui, depuis soixante années, avait tant de fois bercé son sommeil.

Quand elle rouvrit les yeux, la fumée qui remplissait la pièce lui fit d'abord cligner les paupières. Ce qu'elle venait d'entendre était à peine un bruit, car elle n'aurait pu le situer en aucun point de l'espace et, cependant, il semblait que ce bruit n'eût pas cessé, continuât de flotter autour d'elle tout proche.

— Tiens, dit-elle à haute voix, le vent est tombé.

Sans qu'elle pût expliquer pourquoi, cette

constatation la rassura, et elle se sentait aussi
alerte qu'à l'aube. Le silence était profond.
L'horloge elle-même s'était tue. Elle marquait
deux heures du matin.

— Ça doit aller maintenant sur cinq heures!
fit-elle.

Elle résolut de descendre à la cuisine pour s'y
faire un peu de café. « Je devrais aussi souffler
la lampe du vestibule », pensa-t-elle encore, les
yeux larmoyants. Une de ses pantoufles avait
glissé sous la table pendant son sommeil, et,
comme elle se penchait pour la ramasser, elle se
redressa brusquement, courut à la fenêtre, appuya un moment son front au carreau glacé,
l'oreille au guet... Puis, elle l'ouvrit toute grande.

Le presbytère, racheté par la commune aux
héritiers de la veuve Lombard, n'était autrefois
qu'une maison presque sordide, d'ailleurs assez
mal famée. Pour quelques centaines de francs
le conseil municipal y avait un peu plus tard
ajouté un jardin, prélevé sur les médiocres pâtu-
rages qui l'enserrent. Ce minuscule terrain de
quelques arpents, mi-potager, mi-parterre, avec
ses deux allées en croix, bordées de buis, est
clos sur un côté par une simple haie d'épines; sur
les deux autres, par une charmille assez épaisse
de noisetiers. La maison occupe le quatrième.
Elle a deux entrées : l'une, sur la gauche, donne
accès à la cuisine par une simple porte vitrée,
que, la nuit, protège un volet de fer. L'entrée
principale, au centre de la façade orientée vers

l'est, est précédée d'un perron. La façade opposée donne sur une cour étroite fermée d'un mur,
et où l'on entasse le bois sous un grand hangar
qui en occupe presque toute la surface et n'est
fait que de quelques planches recouvertes d'un
papier goudronné.

Ce fut vers l'angle plus obscur de la charmille
que le regard de Mlle Céleste se porta d'abord,
là où aboutit l'étroit sentier que les visiteurs
empruntent d'ordinaire, car il est le plus court
chemin du village à cette bicoque isolée. A des
yeux attentifs, la barrière récemment peinte
pouvait se distinguer vaguement, par contraste
avec le fond plus sombre du feuillage. Etait-elle
entrouverte ou non? Il était difficile de s'en
rendre compte, mais la servante croyait entendre
le battement du loquet, le grincement léger des
gonds. Si Mlle Phémie, contre toute attente, était
revenue au presbytère, quelque soin qu'elle prît
à se cacher, le reflet de sa robe claire, dans cette
nuit presque opaque, devait finir par la trahir.

Toute crainte s'était maintenant évanouie du
cœur de la vieille femme, car elle croyait réellement l'aube prochaine.

— Qui va là? dit-elle d'une voix mal assurée.

La réponse lui vint aussitôt, et de beaucoup
plus près qu'elle ne l'eût supposé, du pied même
de la maison ténébreuse.

— C'est moi...

— Qui, vous?

— Moi, le nouveau curé de Mégère.

A cause de sa petite taille, elle dut se hausser sur la pointe des pieds pour apercevoir le long du mur, et pour la première fois, son maître.

— Attendez une seconde, monsieur le curé, fit-elle. Je m'en vas descendre.

Mais elle saisit d'abord la lampe et, se penchant de nouveau, l'éleva au-dessus de sa tête. Ce qu'elle aperçut la rassura sur-le-champ.

Le visage apparaissait très nettement juste au centre du halo lumineux et elle faillit éclater de rire. C'était bien celui d'un écolier pris en faute et qui s'efforce de donner à ses traits une expression presque comique de réflexion et de dignité. La flamme fumeuse de la lampe n'en éclairait qu'une partie, mais il était facile de voir que ses joues étaient très rouges, plus, sans doute, de confusion que de froid.

— Vous êtes venu, répétait-elle machinalement, vous êtes venu...

Elle ne trouvait rien d'autre. Le vent fit charbonner la lampe. Un coq au loin chanta.

— Veuillez d'abord descendre, fit le jeune prêtre en rassemblant visiblement son courage pour donner à sa voix un accent d'autorité.

— J'arrive, dit Mlle Céleste.

Elle descendit aussi vite qu'elle put, poussa les verrous. Quelle singulière entrée! Certes, l'extrême solitude de ce petit village demi-mort, au milieu d'une des contrées les plus sombres et les plus dures qu'on connaisse, l'avait accoutu-

mée dès l'enfance à ces sortes d'aventures, qui
paraissent invraisemblables aux gens de la
plaine, où l'on peut régler sa montre au sifflet
de l'express du soir, toujours exact au rendez-
vous. À la réflexion même, l'incident n'avait
rien en soi que de banal. Sur cette route inces-
samment rongée par la gelée, la neige, le soleil,
la lente action des eaux secrètes qui poursuivent
été comme hiver leur travail souterrain, que de
chevaux couronnés, que d'essieux tordus! La semaine dernière encore... Mais elle pensait à
l'adjoint saçrant et pestant sous la bise, au sacris-
tain vainement sanglé dans son habit neuf, aux
commères, dès midi à l'affût derrière les vitres, à
la déception de toute la commune. « Faudra que
je lui conseille de trouver un bon mot d'excuse,
dimanche, à la messe... »

Il était certainement transi, mais il ne laissa
paraître aucune déception lorsque, s'étant appro-
ché du fourneau de la cuisine, il constata qu'il
était froid.

— Je désirerais, dit-il, une boisson chaude.
Est-ce possible?

— Le temps d'aller chercher un fagot. Monsieur le curé m'excusera, le bois et le charbon
sont dans la resserre. Si monsieur le curé veut
bien tenir la lampe un petit moment?... oh! rien
qu'au ras du couloir, ça suffit.

Elle remarqua tout à coup qu'il portait des
gants de filoselle noire, mince protection contre

le vent du nord. Sa soutane était usée, mais propre, et, d'un coup d'œil, elle vit que deux boutons y manquaient. Leurs regards alors se croisèrent.

— Voilà du travail pour vous, mademoiselle Céleste, fit-il en souriant.

Elle ne devait jamais oublier ce sourire qui, si vite, avait conquis son cœur, gagné sa fidélité pour toujours. Eut-elle dès ce moment le pressentiment qu'il serait la consolation de sa dernière heure, la suprême vision qu'elle emporterait de ce monde où sa simplicité ne s'était guère étonnée de rien?

L'idée ne lui vint qu'au seuil de la resserre. Elle se retourna brusquement, comme piquée d'un taon.

— Comment savez-vous que je m'appelle Céleste?

Le curé de Mégère sourit encore.

— On m'a beaucoup parlé de vous hier, dit-il, et pas très clairement, je l'avoue. Mais j'ai cependant retenu votre nom.

Elle grimaça de plaisir et feignit de compter les fagotins qu'elle jetait l'un après l'autre dans son tablier.

— Le messager? demanda-t-elle enfin d'un ton d'indifférence affectée. Ça m'étonne, il ne me connaît guère.

— Pas le messager, un autre.

Le prêtre tenait levée sa lampe à la hauteur de son front, mais l'ombre de l'abat-jour ne laissait voir que ses yeux calmes, un peu vagues, et tandis qu'elle le précédait vers la cuisine, il continua derrière son dos :

— Je dois vous dire avant tout que je suis très... très... enfin, oui, très maladroit, très distrait et aussi très malchanceux.

L'unique chaise était chargée d'une pile d'assiettes, et il restait debout, une main timidement appuyée au dossier.

— Que monsieur le curé m'excuse, grogna la servante avec un haussement d'épaules presque maternel.

Elle essuya le siège d'un coup de torchon, l'approcha du fourneau, fit basculer la porte du four.

— Mettez vos pieds là-dessus, ça ne tardera pas à chauffer.

Il obéit et resta un long moment tête basse, écoutant le ronron du feu, le sifflement des pommes de pin, les épaules secouées d'un frisson qu'il ne réprimait qu'à grand-peine.

— Très malchanceux, reprit-il d'une voix rêveuse. Vous devinez sans doute que j'ai manqué la patache de onze heures. A l'hôtel où je m'étais rendu après la descente du train...

— Quel hôtel?

— L'Univers. Un voyageur de commerce, un monsieur très complaisant, m'avait offert une place dans sa voiture, une automobile aménagée

tout exprès pour la montagne, une machine très
forte, paraît-il. Ainsi me serais-je trouvé, sans
beaucoup de retard, au rendez-vous de ces messieurs. Il a fallu que le carbu... non, le radiateur... que le radiateur gelât au passage du premier col — Roque-Noire?

De ses mains gonflées par le froid il portait le
bol à ses lèvres et humait la boisson brûlante
avec un frémissement de plaisir.

— Roque-Noire, oui. Rien n'était perdu cependant. Du moins aurais-je pu retourner avec
lui jusqu'à la ville, vaille que vaille. C'est alors
qu'une petite carriole...

— Qué carriole?

Il replaça comme à regret le bol sur la table,
et poussa une sorte de gémissement.

— L'onglée, dit la servante attendrie. Faudrait mettre un moment vos doigts sous le robi-
net. Y a pas meilleur. Et à qui donc cette petite
carriole?

— La carriole d'un pauvre garçon, d'un brave
garçon, continua le curé de Mégère. Je le crois
seulement un peu... un peu simple.

— Mathurin! s'écria-t-elle. Vous avez fait la
route avec Mathurin!

— Et qu'est-ce donc, Mathurin?

— Le berger des Malicorne.

— Un berger?

— Plutôt l'ancien berger. Un idiot... Qu'ils
disent! Moi, je le crois malicieux pis qu'un
singe, un vrai singe avec ses grimaces. Il a hérité

d'une tante, l'an dernier, et il a acheté un cheval
et une voiture. On lui confie des chargements
par-ci, par-là, cause qu'il n'est pas demandant,
mais des voyageurs, pensez-vous? Ça part quand
ça veut et ça revient de même...

— Il avait promis que nous serions ici vers
huit heures, seulement...

— Seulement il s'est arrêté partout, je vois ça,
rapport à ses peaux de lapin! Des peaux de
lapin! Il met dessous du tabac, de l'alcool, que
sait-on? Les gendarmes en sont pour leurs frais,
il paraît que le procureur de Grenoble le protège. Joli messager! Parions qu'il vous a déposé
sur la route, à la Poterie, hein? Oh! je connais
ses manières. Pas de danger qu'il engage son
cheval, la nuit, dans un mauvais sentier. Son
cheval, c'est sa femme quasi. Et qu'est-ce que
vous lui avez donné pour ça, monsieur le curé?

Elle le vit rougir jusqu'aux yeux :

— Ça n'a aucune importance, dit-il doucement.

— Oui, oui, s'écria-t-elle avec une indigna-
tion feinte, monsieur le curé se sera dépouillé
pour cet idiot qui ne lui en aura pas plus de
reconnaissance qu'une bête — et encore! Tenez,
de votre billet, à l'heure que voilà, il ne s'en
souvient même plus.

— Vous croyez? dit brusquement le jeune
prêtre. Et comme honteux d'une telle vivacité,
il remit le nez dans son bol.

— Je vois ce qu'est monsieur le curé, soupira Céleste, trop bon, trop tendre. Par ici, les gens sont durs. Monsieur le curé devra se défendre ou sans quoi...

Elle fit comiquement le geste de se dépouiller de sa jupe et de son caraco.

— Mademoiselle Céleste, dit le curé tout à coup avec une chaleur singulière bien que contenue, je crois que nous serons amis.

La vieille faillit laisser tomber la cafetière de faïence.

— Monsieur le curé me plaît de même, fit-elle naïvement. L'autre... l'ancien, ce n'était pas un mauvais homme, mais pas commode à servir, non. Un malade, quoi. Monsieur le curé n'est pas malade?

— Non, reprit-il, je ne vous embarrasserai pas, je n'embarrasse jamais personne. Voyez-vous, mademoiselle Céleste, un jeune prêtre comme moi, dans son premier contact avec une nouvelle paroisse, doit être très discret, très prudent, s'afficher le moins possible, n'est-ce pas votre idée? Les préjugés sont bien forts! Retenez aussi que j'appartiens à un autre diocèse et mes confrères eux-mêmes...

— Oh! monsieur le curé n'aura pas beaucoup de visites à faire. Trois ou quatre, sûrement pas plus. Et puis les curés de ces pays, je vais vous dire, je connais les personnes, ce sont des gens de montagne, un peu lourds, un peu grossiers. Tel que vous voilà, si gracieux, si doux, si honnête, vous en ferez ce que vous voudrez...

— Le Ciel vous entende, mademoiselle Céleste, observa-t-il en souriant. Votre expérience me sera précieuse... Mon Dieu, je ne vous cacherai pas qu'au séminaire, il nous arrive de faire de nos futures servantes le sujet d'innocentes plaisanteries. Et par exemple, nous avons ce proverbe : « Une bonne de curé, disons-nous, c'est comme une belle-mère, tout bon ou tout mauvais. »

Leurs regards se croisèrent et celui de la vieille éclatait d'une innocente tendresse.

— Vous avez des parents? Une famille, mademoiselle Céleste?

— Non, monsieur le curé, je suis native de La Mûre, j'ai toujours servi.

— C'est que... je n'en ai guère non plus, avoua-t-il, et l'accent de ces simples mots en faisait quelque chose de plus émouvant qu'une prière. Il se tut.

— Monsieur le curé peut compter sur moi, dit-elle, les yeux humides.

Le cri d'un coq — du même sans doute — éclata si brusquement et si fort, qu'il semblait surgir des profondeurs du jardin.

— L'air porte bien le son, remarqua-t-elle, signe de froid.

Le curé de Mégère parut ne pas entendre, absorbé dans ses réflexions.

— Croyez-vous, dit-il enfin, que je doive dès demain rendre visite à M. le Maire? Cela serait convenable peut-être?...

— Dame, ils vous ont tous attendu — et long-temps... La patache n'est arrivée qu'à quatre heures... Et tenez, dimanche au prône, si vous n'y voyez pas d'inconvénient...

— Oh! dimanche... nous avons cinq jours devant nous, mademoiselle Céleste. J'avouerai même que, sauf la complication de ce maudit retard, mon projet était de prendre quelques jours de repos avant... avant ces démarches offi-cielles. Je les eusse faites en compagnie de M. le chanoine Duperron, mon protecteur auprès de Son Excellence, et que je dois retrouver à Gre-noble, jeudi ou vendredi. Mais vous croyez sans doute...

— Monsieur le curé fera ce qu'il voudra, répliqua-t-elle d'un ton piqué. Monsieur le curé est juge. Monsieur le curé devrait d'abord aller s'étendre un peu avant le jour. On ne doit plus être loin de cinq heures.

Le prêtre tira de sa poche un gros oignon d'argent.

— Mais non! Trois heures et quart seule-ment, fit-il de sa voix basse. Vous vous trompez, mademoiselle Céleste.

Elle l'accompagna jusqu'à la chambre et comme il lui tournait le dos, elle eut son même sourire de compassion maternelle. La ceinture du nouveau curé, maladroitement serrée à la taille, s'enroulait à la hanche comme une corde.

— Monsieur le curé voudra bien laisser sa soutane à la porte, dit-elle. Je lui donnerai un petit coup de fer.

Mais ce coup de fer ne fut jamais donné.

Cela commença par un incident presque comique. Elle avait cru entendre battre le volet de la cuisine et, au plus creux de son sommeil, luttait contre le souvenir encore trop vivace de l'acte accompli quelques instants plus tôt, de la pression des doigts sur le métal glacé, du choc de la barre de fer rentrant dans sa logette. Cette lutte absurde, qui dura sans doute une minute ou deux, lui parut se prolonger des heures. Puis, comme il arrive souvent, la logique intérieure du rêve, plus pressante et plus impérieuse que l'autre, l'emporta dans le moment même où le corps sortait de son engourdissement. Elle se dirigea vers la porte à tâtons, l'ouvrit avant d'avoir réussi à lever les paupières. Le curé de Mégère était devant elle.

— Je vous demande pardon, dit-il d'une voix effrayante.

La lampe tremblait si fort entre ses doigts qu'elle la lui arracha. Elle ne songeait même pas qu'elle était là, dans le couloir, sa jupe retroussée sur ses cuisses, presque nue. Elle ne pouvait détacher ses yeux de ce visage si jeune, creusé soudain par l'angoisse, vieilli, méconnaissable.

— J'ai entendu... dit-il.

— Entendu, quoi?

Le cri qu'elle retenait encore faillit s'échapper de sa gorge. Elle ne s'expliqua pas depuis, comment, par quel miracle, elle avait pu étouffer au-dedans d'elle ce hurlement furieux, semblable à ceux qu'on pousse en rêve. Il n'avait fallu qu'un regard du prêtre. L'épouvante qu'elle y lisait n'en troublait pas l'extraordinaire limpidité. Ce regard lui fit honte.

Le curé de Mégère l'avait déjà précédée dans sa chambre, et le buste hors de la fenêtre grande ouverte, la tête penchée sur l'épaule, il scrutait la nuit avec une attention prodigieuse.

— Là, dit-il enfin, le doigt tendu vers un point de l'horizon, tandis que, dans son désarroi, elle cherchait en vain quelque repère parmi ces sombres masses confuses.

Il se retourna. Il était toujours livide, mais ses lèvres minces exprimaient déjà une sorte de résolution calme, presque farouche.

— Qu'ai-je là, devant moi, là?...

— Devant vous? Un pommier.

— Je ne parle pas du pommier. Plus loin que le pommier, beaucoup plus loin?

— Comment voulez-vous... Mon Dieu! Mon Dieu! il fait plus noir que dans un four! Et quoi donc que vous avez vu?

— Je n'ai pas vu, dit-il, j'ai entendu.

Il alla brusquement vers la table, prit une feuille de papier. L'effort qu'il s'imposait pour

rester calme donnait à chacun de ses mouvements saccadés une précision mécanique.

— Voilà cette maison, continua-t-il, en des-
sinant rapidement; voilà le chemin que j'ai pris,
l'orientation de cette fenêtre...

Et, traçant une ligne oblique à travers la
page :

— Qu'y a-t-il dans cette direction?

— Ben, je ne sais pas... des pâtures.

— Et au-delà des pâtures?

— Des... Il n'y a rien. Le village est par-derrière nous, dans votre dos.

— Mon Dieu!... fit-il. Alors, il faut prévenir,
battre la campagne! Comment me retrouver,
m'orienter sur un terrain que je ne connais pas?

Elle se tordait les mains, perdue dans ces
paysages ténébreux qui lui étaient devenus
brusquement aussi étrangers qu'une contrée
d'Afrique.

— Le château, dit-elle enfin.

— Quel château? Où est ce château?

— C'est bon, c'est bon, grogna la vieille,
méfiante. Et si vous n'avez pas vu, quoi donc que
vous avez cru entendre?

— Je n'ai pas cru entendre, répliqua le
prêtre, d'une voix dont la fermeté commençait
à rendre courage à la servante, j'ai entendu.
Deux cris, deux appels, suivis d'un coup de feu.
Dormiez-vous?

— Je crois que oui, avoua-t-elle, un peu
penaude. Dans mon rêve, je pensais que le volet

de la cuisine battait contre le mur. C'était vous
qui cogniez à ma porte. Avez-vous frappé
longtemps?

— Non, fit-il avec douceur; vous m'avez répondu tout de suite. Peut-être dormiez-vous
moins profondément que vous ne pensiez, mademoiselle Céleste?

Elle essayait de réfléchir, la tête dans ses
mains, avec de petits cris étouffés, que la
moindre parole de sympathie eût changé en sanglots convulsifs. Mais le prêtre allait et venait
autour d'elle, sans paraître se soucier de sa présence. Au bruit des grosses semelles sur le plancher, elle comprit qu'il avait enfilé ses souliers,
qu'il était prêt. Mais elle n'osait plus desserrer
les doigts qu'elle tenait pressés contre ses paupières. Son cœur frappait dans sa poitrine à
grands coups sourds : elle aurait juré qu'au premier effort pour se mettre debout, ses jambes
allaient se dérober sous elle, et pourtant lorsque
le jeune prêtre posa la main sur son épaule,
nulle puissance au monde ne l'eût retenue à sa
chaise.

Encore s'il lui eût parlé en maître, aurait-elle
retrouvé, peut-être, assez de volonté pour discuter; mais il n'essayait même pas de la rassurer,
soit que l'idée qu'on pût refuser secours à un
être humain en détresse ne lui vînt même pas,
soit qu'il fût résolu par avance à ne rien demander qui dépassât l'énergie et les forces de la
vieille servante.

— Vous m'accompagnerez en haut du sentier, dit-il; je ne suis pas sûr de le reconnaître, mais j'attendrai là-haut jusqu'à ce que vous soyez revenue à la maison. Vous ne courrez donc absolument aucun danger.

Il essaya deux fois la pile d'une lampe de poche. Mlle Céleste remarqua qu'il la tirait d'un élégant étui de cuir, marqué à son chiffre. Il surprit son regard et haussa les épaules, sans doute irrité de lui voir attacher quelque importance à cette futilité en un pareil moment.

Elle le suivit, jusqu'au premier tournant de la route, en silence. Elle était maintenant hors d'état d'opposer une résistance quelconque, ou même d'objecter quoi que ce fût. Sa terreur n'avait même plus d'objet : elle l'attachait simplement au pas de ce prêtre inconnu qu'elle eût désormais suivi n'importe où, aussi désarmée qu'une enfant.

Il allait très vite, singulièrement vite sur ce mauvais sentier qu'il n'avait cependant suivi qu'une fois — plus vite qu'elle — avec cette assurance de somnambule. L'air était calme autour d'eux, et si froid, qu'ils avaient l'impression d'une sorte de résistance imperceptible, ainsi que d'une légère soie qui se déchire. L'image d'un crime, acceptable un moment plus tôt, au fond de la maison solitaire, semblait maintenant tout à fait inconcevable, sous ce ciel limpide, si proche.

— Mademoiselle Céleste...

Le curé de Mégère venait de s'arrêter brusquement. La grande route luisait un peu, juste à
leurs pieds, avant de s'enfoncer de nouveau
dans les ténèbres.

— Mademoiselle Céleste... (il posait la main
sur l'épaule de la servante, reprenait péniblement son souffle), peut-être me suis-je trompé,
après tout?...

Elle ouvrait la bouche pour répondre lorsque
la lumière de la lampe électrique, le temps d'un
éclair, la frappa en plein visage. Elle ne put que
balbutier :

— Je ne sais pas...

— Trompé ou non, reprit-il, nous devons
maintenant aller jusqu'au bout. Oui, n'eussions-
nous qu'une chance, cette unique chance est
celle d'une créature humaine en péril; notre
remords serait trop grand de la lui faire perdre
par notre faute. Je suis un homme paisible,
mademoiselle Céleste, et même un peu plus
craintif qu'il ne conviendrait sans doute. Mais
je suis prêtre aussi.

Il prononça les derniers mots d'une voix claire
qui dut porter fort loin, beaucoup plus loin
qu'il ne le supposait, dangereusement loin dans
cet air sec, aussi sonore qu'une enclume. La
vieille fille mit aussitôt un doigt sur ses lèvres.

— Certes, poursuivit-il après un long silence
coupé d'accès de toux, nous courons le risque
d'être... Je cours le risque d'être un peu ridi-

cule. N'importe. Les épreuves de Dieu sont ce qu'elles sont, grandes ou petites... Mon avis — il se reprit — ma volonté, mademoiselle Céleste, est de pousser jusqu'à la première maison venue, coûte que coûte. Si ma pauvre mémoire ne me trompe, il en est une pas très loin d'ici, vers la gauche. Mais y trouverons-nous du secours?

— C'est la maison de Phémie — de la sonneuse — de votre sonneuse, monsieur le curé.

— Est-elle capable d'aller donner l'éveil, d'expliquer?... Je crains de ne pouvoir prendre part aux recherches, et d'ailleurs un prêtre n'est pas un gendarme. Je ne puis qu'offrir mon secours au blessé, le cas échéant. Que dites-vous?...

La petite lampe électrique s'alluma aussi brusquement que la première fois, et sur les traits bouleversés de sa servante, le curé de Mégère put voir se dessiner une espèce de sourire.

— Dieu! dit Mlle Céleste, Phémie? Elle pourrait bien réveiller tout le canton.

II

— Qu'est-ce que vous en dites, de notre nouveau curé, Firmin?

— Ben, monsieur le maire, un gamin, avec son air de petite fille, mais selon moi, voyez-vous, plus réfléchi qu'on ne suppose. Vous n'auriez pas dû le laisser là-haut, il n'y avait qu'à prendre notre temps.

Ils couraient sur la route gelée. Le claquement de leurs sabots faisait un seul roulement qu'on devait entendre là-bas, aux premières maisons du bourg. Une vague rumeur montait derrière eux.

Tout Mégère savait depuis longtemps que la grande Phémie n'avait peur de rien. Cette fois encore elle n'avait pas déçu leur attente. A peine informée par Céleste, elle dégringolait la pente de toute la vitesse de ses longues jambes et cinq minutes plus tard frappait de sa socque à la porte du maire, dont la maison un peu isolée par un vaste enclos est l'une des plus rappro

chées de l'église. Le temps qu'il enfilât sa
culotte, ouvrît sa fenêtre, elle avait déjà secoué
la sonnette du cabaretier Mendol chez qui le
vieux garde champêtre Firmin prend pension
depuis la mort de sa femme, et tirait de leur lit,
du même coup, les deux fils de Mme Heurtebise qu'elle retrouva une minute plus tard,
ivres encore de sommeil et grognant comme des
ours sur la petite place où déjà le maire, hors
de lui, menaçait de boucler cette sacrée garce
dans le local des pompiers, « histoire de lui
apprendre à mettre par ses contes la commune
sens dessus dessous ». L'arrivée du curé de Mégère avait mis fin à la dispute, les quatre
hommes décidant « de faire un tour là-bas,
puisque aussi bien la nuit est fichue »... De
l'autre côté du Mail, derrière les platanes géants,
le reste du village n'a rien entendu, ne sait rien.

Ils ont commencé par bourrer leurs pipes
tout en marchant, puis ils ont pressé le pas et
enfin ils se sont mis à courir. L'échauffement
de la discussion ne les soutient plus, ni la cor-
diale complicité des gros rires, ni ce quart d'eau-
de-vie que la femme Marivole leur a donné en
hâte, au dernier moment. La voix calme, assurée, bien qu'un peu tremblante du jeune
prêtre sonne encore à leurs oreilles. Qui sait?...

— Ménage la pile, Jean-Louis.

Le mince faisceau de la petite lampe tourne
autour de la grille du parc, fait sortir un mo-

ment de l'ombre ses grands pilastres. Elle est
ouverte, comme toujours. Un des battants, déta-
ché de ses gonds rongés de rouille séculaire,
n'est retenu que par un pieu solidement planté
dans le sol. Le parc n'est d'ailleurs qu'un
médiocre jardin de deux hectares, envahi par
les ronces, et dont la pente douce aboutit à un
minuscule ruisseau qu'ils écoutent un moment
bruire dans le silence.

— On a l'air idiots, constate le maire.
Qu'est-ce qu'on va f... ici? Sacré curé!

Mais les gars de Heurtebise décident qu'on
ira jusqu'au bout, qu'on en aura le cœur net.
Les sabots claquent maintenant en désordre
autour de la vieille maison, dont la façade orientée au levant commence d'émerger de la nuit,
fenêtres closes.

— Supposé qu'un type ait fait le coup, remarqua le garde champêtre, sûr qu'il aurait filé du
côté de Dombasle. En tout cas, il n'aurait pas
pris par ici, vers le village.

— Quel coup? demanda le maire, goguenard.

— « Supposé », que j'ai dit. Une supposition,
quoi. Une idée, rien de plus. A mon sens, s'agi-
rait de passer d'abord derrière la bicoque, de
descendre... Laisse-moi donc parler, Eugène, rai-
sonne... Voyons! tu pourrais crier ici tout ton
saoul, tirer le pistolet, je veux être pendu si on
t'entendrait du presbytère; les murs étouffe-
raient le son. Sûr que la chose a dû se passer du
côté opposé; c'est clair...

— Quelle chose, farceur? répète le maire.

— Louis, tu m'embêtes! dit le garde.

Les fils Heurtebise étouffent un rire complaisant. Magnanime, le premier magistrat de Mégère offre des cigarettes, qu'il prend à même la poche de sa veste de velours.

— Autant voir, conclut-il. Et si nous ne voyons rien de suspect, parole, mes fieux, je vous remmène. Il n'y aurait pas de bon sens à réveiller ces gens-là.

Il montre d'un geste large la maison qu'un bref éclair de sa lampe vient de parcourir encore de haut en bas. C'est un grand cube de pierre, d'une tristesse que ne réussit à égayer nulle saison, toujours la même sous le soleil ou l'averse, au centre de son jardin dévasté. Mais les habitants de Mégère ont pris l'habitude de la voir renaître chaque matin, au flanc de la haute colline, parmi ses arbres dépouillés, dans une brume rose répandue brusquement, et qui se décolore aussi vite. Mme Beauchamp, qui l'habite depuis une dizaine d'années, est la veuve d'un officier de marine, une vieille petite femme vêtue de noir, chaussée de noir, gantée de noir, aux yeux bleus fanés, un peu railleurs. Elle y vit en compagnie d'une ancienne religieuse sécularisée de Notre-Dame de Sion, venue des Flandres, qui lui sert de gouvernante, et passe aux yeux des familiers pour une parente. Philomène, la petite bonne de quinze ans, fille d'un pauvre journalier de Mégère, recueillie

par charité à la sortie d'un café suspect de Grenoble, couche sous les combles. Mme Beauchamp a peu de relations, mais choisies. On
raconte qu'elle a été très belle, que son mari
l'adorait, et qu'elle a fait avec lui le tour du
monde.

L'autre côté du parc est un peu moins brous-
sailleux, mais fort escarpé. Le chemin, coupé de
ravines profondes, qui le partage en deux tron-
çons de largeur inégale, serpente d'abord à travers un maigre taillis pour descendre presque à
pic vers la route de Dombasle à Fillière. C'est
dans ce chemin que s'engage le maire. Les deux
fils Heurtebise fouillent les buissons à sa droite,
le garde un peu plus loin, à sa gauche. Sur les
hautes cimes des ormes, une bande de corneilles,
réveillées par le bruit, battent lourdement des
ailes, sans oser prendre leur essor dans le ciel
ténébreux. Une pluie de brindilles sèches cré-
pite sur l'épais tapis de feuilles mortes.

— L'assassin doit s'être perché là-haut, sûr,
dit le maire à mi-voix. Faut croire que notre
curé n'a pas entendu souvent leur chanson, pas
vrai, Firmin?

Le ciel pâlit vers l'est, donne déjà l'illusion
de l'aube. La route de Dombasle est maintenant visible à leurs pieds. Une vitre vient de
s'allumer quelque part, dans la campagne, ou
peut-être n'avaient-ils pas remarqué encore cette
lueur tremblotante, doublée par son reflet.

— Tiens, remarque Jean-Louis Heurtebise, voilà Drumeau qui sort des plumes...

— Oh! Oh! Ohé!... crie l'autre gars, les mains en cornet devant la bouche, à la manière montagnarde.

Il a couru jusqu'à une pointe en surplomb qui domine la route, et sa silhouette se détache nettement sur le fond couleur de cendre.

— Ohé! Oh! ôôô... répond la voix.

Elle est toute proche et presque aussitôt le maire l'entend se mêler avec celle d'Heurtebise, dans un murmure confus.

— Quoi qu'il y a, Jean-Louis?

— C'est Drumeau, répond l'interpellé de sa place. Il a vu là-bas notre lumière, et il est venu se renseigner, pas plus.

Ce Drumeau bûcheronne dans la forêt de Servières que ses ancêtres n'ont pas quittée depuis des siècles, mais son travail prend fin aux premières neiges d'avril et il vit le reste de l'année d'un certain nombre de métiers divers, tous de petit rapport, et qui nourrissent difficilement sa femme et ses cinq enfants. Sur la recommandation de la châtelaine, le curé l'a choisi comme fossoyeur et il chante encore le dimanche au lutrin.

Les cinq hommes circulent à présent sur la route sans prendre la peine de baisser la voix.

— Des cris, s'exclame Drumeau, vous voulez rigoler! Le curé les aurait entendus de là-bas, du presbytère, à plus de cinq cents mètres d'ici?

et pas moi. Des blagues!... Je ne suis pas sourd, les gars!

— Il y aurait eu aussi un coup de feu, objecte le maire avec un rire forcé qui trahit son embarras.

— Un coup de feu?

Le visage du jovial fossoyeur s'est assombri.

— Quoi? Un coup de fusil?

— Non, de pistolet, qu'on suppose. Un claquement...

— Un claquement? Le curé dit qu'il a entendu un claquement? Et comment diable était-il là, notre curé, puisqu'il avait manqué la patache? Ça m'a l'air d'un garçon pas ordinaire. Arrivé à pied, ou quoi? Vous l'avez vu?

— Il est venu dans la voiture de Mathurin, tard dans la nuit.

— Bigre...

Les mains dans ses poches, tête basse, il sifflait entre ses dents, cherchant à rassembler ses souvenirs. Puis il commença à bourrer tranquillement sa pipe.

— Voyez-vous, faut être juste, le vent n'est tombé qu'à la mi-nuit. Tant qu'il souffle, ces diables de sapins font un bruit! Pensez : le bois pousse comme il veut, c'est plein de branches mortes, une vraie forêt vierge. Dans ces moments-là, vous pourriez toujours tirer le pistolet, malheur! Ça craque et ça grince, ça détone des fois comme la Souippe, aux crues d'avril. Mais... vers deux heures, la brise a sauté plein nord; le calme est venu, c'est vrai qu'on aurait entendu souffler une belette. Possible que je me sois endormi, conclut-il en se grattant la tête sous sa casquette de laine, seulement, un vieux bûcheron comme moi, ça ne dort que d'un...

Tout en parlant, ils avaient atteint le tournant de la route, et revenaient un peu en désordre vers l'entrée de la sente étroite tracée par Drumeau lui-même et qui, cent pas plus loin, aboutit à sa chaumière. Ce fut à ce moment que l'image sinistre déjà bien éloignée de leur pensée, vint de nouveau s'emparer d'elle.

— Hé, Polyte, disait Jean-Louis Heurtebise au bûcheron déjà disparu dans le taillis, fait pas encore jour, ne laisse pas là ta bécane, mon homme!

— Quelle bécane?

Elle était là, posée contre le fût d'un grand pin, à peine dissimulée par les ronces. L'espèce de lueur qui des collines voisines semblait depuis un instant glisser à ras de terre, le long des pentes, comme une eau louche, faisait luire son guidon nickelé. Il paraissait incroyable qu'elle eût pu jusqu'alors échapper à leurs regards.

— Sacredié! fit le maire.

Le gars Drumeau revint en courant tout essoufflé.

— J'aurais bien juré qu'elle ne s'y trouvait pas, je l'aurais bien juré, parole d'homme, répé-

tait-il machinalement... et la buée de son haleine
continuait de monter dans l'air calme.

D'un même mouvement, ils s'élancèrent en
désordre, coupant au plus court, vers le château. La voix du garde les arrêta :

— Minute! La chose a dû se passer par ici.
Battons le terrain d'abord... Il sera toujours
temps de prévenir la dame.

— Vingt dieux!

C'était Claude Heurtebise qui d'un peu plus
loin leur faisait signe. Sa tête blafarde sortait
seule de l'épaisseur du taillis, et ils voyaient
remuer ses lèvres sans entendre aucun son. Déjà
le maire, ses gros bras lancés en avant, fonçait
courageusement dans les ronces. Ils le rejoignirent aussitôt.

— Un mort, les gars! disait Claude Heurtebise.

Mais le cri des corneilles invisibles couvrait
sa voix.

Le cadavre reposait sur le flanc. Tout autour
le sol était nu, soit que l'homme se fût débattu
dans son agonie, soit que — plus vraisemblablement — son meurtrier eût tenté de le traîner
plus loin, sans y réussir. La tête disparaissait
presque dans un coussin de feuilles mortes rame-
nées en tas sous les épaules. Le sang, déjà figé
par le froid, faisait à la hauteur des reins une
large et hideuse plaque de boue noirâtre, hérissée d'aiguilles de pin.

— C'est aux reins que ça le tient, dit Jean-Louis. Il a sans doute été descendu par-derrière.

La lanterne électrique, prêtée par le curé de Mégère, ne donnait plus qu'une lueur rougeâtre. Pour distinguer le visage, ils durent essuyer avec leurs mouchoirs la face tuméfiée, déjà violette, et comme le maire glissait timidement un doigt entre la poitrine et le col de la chemise, très serré, un jet de sang gluant lui inonda les mains.

— C'est un gars, remarqua le garde agenouillé près de son chef, un fort gars tout jeune. Pas du pays.

Les traits semblaient ceux d'un homme de vingt-cinq ans. Le front un peu bas fuyait vers les tempes, les oreilles larges et décollées, la mâchoire inférieure très saillante, le cou trop court faisaient un ensemble assez repoussant, et néanmoins l'expression générale du visage ennobli par la mort n'inspirait aucune répulsion.

— Ça n'a pas l'air d'un mauvais gars, dit Louis Heurtebise, exprimant ainsi la pensée de chacun.

Ils soulevèrent légèrement le corps, mais en vain. Le dos n'était plus qu'une carapace de terre mêlée de feuilles agglutinées par le sang. La blessure restait invisible.

— Faudrait tailler à même la chemise, reprit le grand Louis. Prends le couteau dans ma poche, Claude... Je ne peux pas le lâcher, il est lourd.

— Halte! fit le garde. Ce n'est pas notre affaire, ça.

Un imperceptible filet de sang frais coulait encore, d'un rouge vif sur cette matière brune, à l'odeur âcre. Ils ne le remarquèrent pas.

— Sûr qu'il est mort, répétait le maire, bien mort. Et pourquoi qu'il ne se serait pas cassé les reins en glissant sur ces sales roches? C'est lisse comme du verre, y a pas plus trompeur.

— Possible, dit le garde. Mais qu'est-ce qu'il serait venu f... ici, tout seul, en pleine nuit? Et dans ce costume encore! Il n'a qu'une chemise, une culotte, et il avait retiré ses sabots... Faudrait retrouver ses sabots.

Claude Heurtebise était resté penché sur le cadavre; il appela son frère, d'un clin d'œil.

— Regarde ça, fit-il.

Au milieu de la poitrine, il tenait son doigt fixé sur un trou rond, à peine visible, cerné d'un trait bleuâtre. Sous la pression, une goutte jaillit.

— Balle, dit le garde. L'entrée... On a dû lui mettre ça de près, l'étoffe de la chemise est brûlée.

Ils se regardèrent en silence. Dans l'aube livide leurs visages apparaissaient plus blêmes encore. Quelques minutes plus tôt, un quart d'heure peut-être, l'homme étendu à leurs pieds n'était pas seul. Jean-Louis Heurtebise parla pour tous.

— L'autre ne peut pas encore avoir filé bien loin, dit-il.

Leurs yeux fouillaient à la dérobée le bois mystérieux, la campagne vide et muette, qui semblait monter, surgir lentement des profondeurs de la nuit.

— Nous devons prévenir au château, fit le maire. Tant pis. Ça m'embête d'inquiéter la vieille dame, mais on ne peut pas la laisser comme ça dormir tranquillement jusqu'au jour avec un macchabée dans son jardin.

Ils remontèrent vers la maison, tête basse. A mi-chemin, l'idée vint au garde.

— Jean-Louis, va-t'en veiller la bécane, garçon. Vois-tu que le type saute dessus et file derrière notre dos.

Le grand Heurtebise haussa les épaules.

— J'ai pas d'armes, dit-il. Viens-t'en avec moi, Claude.

Ils s'éloignèrent en grommelant.

La maison grise semblait plus calme que jamais derrière ses persiennes closes. Ils en firent deux fois le tour. L'obscurité était encore trop profonde pour qu'ils pussent relever aucune trace. Sur les marches du perron ils ramassèrent cependant un lacet de cuir.

— Firmin! murmura le maire à voix basse.

De son doigt tendu, il désignait l'angle extérieur gauche du toit. Une légère spirale de

fumée montait dans l'air immobile. Son reflet
un peu bleuâtre la distinguait seule du ciel.

— Ça doit venir de la chambre de Madame,
reprit-il. Drôle tout de même que son feu ait
duré jusqu'au matin. Ecoute, mon homme, on
va d'abord essayer d'éveiller la gouvernante. Je
crois que sa fenêtre est juste au-dessus. Tu n'as
qu'à y jeter une poignée de graviers, en douce.

Mais les minuscules cailloux vinrent s'abattre
en vain sur les volets de chêne. Quelques-uns
tintèrent contre la vitre.

— Pas croyable, dit le garde.

Ils échangèrent un regard déjà soupçonneux.
L'avarice de l'ancienne religieuse était la fable
de Mégère.

— On verra ce qu'on verra, garçon, déclara
le maire. Au point où nous en sommes, il n'y a
pas de scandale qui tienne. Tire la cloche. Une,
deux... Halte!...

C'était assurément le grincement d'un gond
rouillé, mais la persienne sur laquelle ils
tenaient fixés leurs regards n'avait pas bougé
d'un pouce. Le garde étendit de nouveau la
main vers la cloche.

— C'est toi, Philomène, dit le maire. Je viens
de voir le bout de ton nez, fillette. Et comme
la jeune servante ne soufflait mot derrière son
volet à peine entrouvert :

— Descends tout de suite que je te dis,
répéta-t-il d'une voix menaçante. Descends, au

nom de la loi! Tu me reconnais bien, c'est moi,
M. Desmons, le maire. Et voilà Firmin.

— J'vas réveiller Mme Louise.

— Non!

Mais lorsqu'ils pénétrèrent dans le vestibule,
la silhouette de la gouvernante apparut au haut
de l'escalier.

— Remontez, Philomène, dit l'ancienne religieuse aigrement. Que se passe-t-il?

— J'ai besoin de vous deux, interrompit le
maire presque grossièrement. S'agit de s'entendre, nous quatre, avant de réveiller Madame.

— Réveiller Madame!

Elle eut un petit rire qui fit monter le rouge
aux joues du premier magistrat de Mégère. L'intervention du garde champêtre arrêta heureusement sa réplique.

— Elle est peut-être bien réveillée à ct'heure,
dit-il d'un air finaud. Sa cheminée fume.

Une minute le regard aigu de la gouvernante
toisa le vieux de la tête aux pieds, mais elle
dédaigna de répondre et, se tournant vers le
maire :

— Une cheminée qui fume? demanda-t-elle.
Est-ce pour une cheminée qui fume qu'on
réveille les gens?

Sans doute elle les croyait ivres, la réputation
de sobriété du maire et de son garde n'étant pas
des plus sûres.

— Madame Louise, il y a un macchabée dans
le jardin, voilà ce qu'il y a.

Les mots sortaient avec peine de sa gorge et il avait grand mal à garder un reste de sang-froid devant cette femme dont le calme extra-ordinaire l'humiliait.

— Un mac... un macchabée...

Elle n'avait probablement jamais entendu prononcer ce mot insolite et en cherchait le sens prudemment, craignant d'être la dupe de quelque grossière plaisanterie.

— Un mort, quoi.

Le garde crut qu'elle allait laisser tomber la lampe et cependant son regard soutint celui du maire. Elle balbutia seulement :

— Un mort, comment cela peut-il se faire? D'où vient-il?

— Madame le saura peut-être un jour, riposta le garde champêtre, soudain enhardi par la naïveté d'une telle question et de ce qu'elle trahissait de désarroi chez une femme aussi maî-tresse d'elle-même. Mais l'ancienne religieuse ne releva pas l'insolence.

— Je vais prévenir Madame, soupira-t-elle, décidément vaincue par l'énormité de la nouvelle.

Le maire la suivit à quelques pas, et cette suprême indiscrétion n'arracha pas à la gouver-nante une parole de plus, elle se contenta de hausser les épaules. Au moment de frapper à la porte, néanmoins, elle le maintint à distance d'un geste de la main. Et aussitôt un cri étouffé lui échappa.

— La porte est entrouverte, balbutia-t-elle. Mon Dieu!

Rien n'est plus difficile à soutenir que la terreur irraisonnée d'une femme nerveuse, en face d'un de ces faits insignifiants mais dont la contagion de l'angoisse fait en une seconde on ne sait quel signe augural. Le premier magistrat de Mégère fixait maintenant l'étroite ligne sombre d'un regard déjà plein de vertige et il fit un pas en arrière tandis que la gouvernante se cramponnait à son épaule.

— Ben quoi, réussit-il enfin à bégayer, on ne va tout de même pas perdre la tête pour ça. Etes-vous sûre au moins qu'elle était fermée hier soir, votre porte?

Cete tentative sournoise de temporiser avec la peur avant la démarche inévitable ne réussit qu'à allumer aux yeux de la gouvernante un bref éclair de fureur ou de mépris qui piqua au vif l'amour-propre du maire et retint sur ses lèvres le nom du garde, toujours en faction dans le vestibule. Baissant la tête, il passa le seuil de la chambre et y fit encore quelques pas, titubant comme un homme ivre. Mais le pressentiment d'un nouveau drame était entré trop avant dans son cœur. Ce qu'il vit ne le surprit pas.

La vieille dame, en chemise, était étendue bien sagement sur le parquet, les genoux rame-nés contre la poitrine et un air ironique bien

différent de son expression habituelle autour de
son petit nez pointu. Le rouge qu'elle devait dissimuler adroitement d'ordinaire sous une épaisse
couche de poudre faisait maintenant aux
pommettes deux taches rondes, comme tracées
au pinceau. Les lèvres minces, absolument déco-
lorées, ne se distinguaient plus de la peau
livide, en sorte que cette figure ridicule et
effrayante n'avait plus de bouche. Elle sortait
d'un bonnet de nuit noué sous le menton, bordé
de mousseline tuyautée qui lui donnait quelque
ressemblance avec un bouquet enveloppé de
papier, tel qu'on en voit dans les cimetières.

Le parquet, autour d'elle, était jonché de
lettres déchirées ou hâtivement chiffonnées, de
piles de linge jetées hors des armoires, de vieilles
jupes, d'extraordinaires capotes à monture de
fil de fer. D'autres objets inconnus achevaient
de se consumer dans la cheminée. Le reflet des
braises au plafond éclairait la scène d'une lueur
indéfinissable.

Debout près du cadavre, Mme Louise gémissait doucement, la tête enfouie dans ses mains.
Un long moment, le maire n'osa rompre ce
silence entrecoupé de paroles incompréhensibles
qu'il prit d'abord pour une prière. Mais comme
il s'approchait de la gouvernante dans l'intention de la soutenir et de l'entraîner hors de la
pièce, il s'aperçut que tout son corps saisi dans
l'étau de la contracture nerveuse, était aussi
raide qu'une barre de fer. Sitôt que ses doigts

l'effleurèrent, elle s'abattit entre ses bras, tout
d'une pièce.

— Hé, Firmin, cria-t-il éperdu, monte vite!
La dame est morte!

Ce fut la jeune bonne qui parut d'abord.
Avec une force inattendue, sans aucune aide,
elle souleva la gouvernante, l'étendit sur un coin
du tapis. Après quoi elle éclata en sanglots
discordants.

— Ouvre la fenêtre, imbécile! dit le maire.

Ils revinrent à la morte. La vieille dame semblait les suivre attentivement de son œil grand
ouvert, l'autre clos. Du pouce, le garde champêtre accouru rabattit la paupière, mais le visage
exsangue continua de sourire. Comme ils por-
taient le cadavre jusqu'au lit, la légère tête dis-
loquée se renversa d'une épaule à l'autre et finit
par pendre sur la poitrine. La pointe d'un os
brisé tendait la peau à la hauteur de la première
vertèbre, au centre d'une énorme ecchymose
sanguinolente.

— L'instrument du crime, dit le garde d'un
ton sentencieux.

Il retournait entre ses doigts un chenet de
bronze bizarrement enveloppé d'une serviette,
à peine tachée de sang.

— Laisse ça là, dit le maire. Faut maintenant
prévenir la police.

Philomène avait disparu. Se retournant brusquement, le maire crut voir le regard de la

gouvernante fixé sur le sien, entre les cils clos.
Il allait s'approcher lorsqu'une voix l'appela du
dehors : c'était celle du grand Heurtebise. Au
même instant la servante entrait, une bouteille
de vinaigre à la main. Il prit la jeune fille par
les deux épaules, la poussa un peu durement
contre le mur.

— Ecoute bien, dit-il. Réponds-moi sans mentir, gamine. Je t'ai quasi vue naître, on ne trou-
verait pas plus délurée que toi dans Mégère
— ne le nie point — une vraie fille de monta-
gnard, quoi!

Aux premiers mots elle avait recommencé à
sangloter, puis elle parut se raviser tout à coup,
fixa sur le maire ses petits yeux vairons.

— Veux-tu aider la justice?

Il baissa la voix.

— Suffit de regarder, d'observer, de ne rien
perdre, compris? Et ce que t'auras vu en bien
comme en mal, ne le répète à personne, pas
même aux gendarmes. Pas même à ton père,
hein? Le papa est un camarade, je ne dis pas
non. Seulement, sitôt qu'il a un verre dans le
nez, on ne peut plus compter sur lui, il ne tiendrait pas sa langue. Et maintenant... — Patiente
un peu, Louis, j'y vas! cria-t-il vers la fenêtre
ouverte. — Marche, je porterai ta Mme Louise
jusqu'à sa chambre.

Le fils Heurtebise ruisselait de sueur. A la
première question du maire, il répondit par une
bordée de jurons, suivis de mots indistincts,

parmi lesquels son interlocuteur finit par reconnaître celui du médecin.

— Le médecin? C'est-y que t'es fou? On a bien le temps de faire le constat de décès, mon homme.

— Le type, en bas, il vit encore, bégaya le grand Louis. Quelle histoire!

— Qu'est-ce que tu fiches ici alors? Va le chercher toi-même le docteur, empoté!

— Claude croit que le type ne durera pas longtemps. Il a l'air de vouloir parler... Oh! des mots qui n'en sont pas : il bredouille comme ça, les yeux fermés, en remuant les doigts, vous diriez une vieille femme à l'église, et pas moyen de le comprendre; il a rendu un caillot de sang aussi gros qu'un œuf de pigeon, pas moins. Supposez qu'il cause, le frère, vaut mieux que ça soit à vous, pas vrai? Vous êtes le maire, après tout. Moi, les gendarmes, je les respecte. Seulement, ils me font deuil, j'aime pas les voir, c'est comme les notaires et les curés. Si j'avais su! De quoi je me mêle, vingt dieux!

Ils l'avaient traîné jusqu'au pied du rocher. Sa nuque et ses épaules reposaient sur la paroi moussue. La terre dégelée laissait couler goutte à goutte une eau boueuse qui ruisselait le long de ses joues dont le creux livide s'approfondissait sans cesse.

— Malheureux, dit le maire, y a-t-il du bon sens à manier un blessé pareil!

Les frères se regardèrent avec embarras comme s'ils allaient parler, mais ils se turent.

— Vous auriez pu au moins essayer de le panser. Voyons, Louis, toi qu'as fait la guerre...

— On a essayé, dit le second des Heurtebise.

Dans ses poings, crispés, ramenés sur sa poitrine, l'agonisant tenait le mouchoir de Jean-Louis, et il fixait maintenant cette proie de ses yeux effrayants, aussi vides que ceux d'un mort. Le garçon expliqua, en un flot de paroles confuses, qu'il le lui avait arraché des mains.

— Essayez un peu de le lui prendre, il grince des dents comme un rat.

Mais le maire ne semblait pas pressé de renouveler l'expérience. L'idée absurde que l'homme qu'il avait sous les yeux n'était réellement qu'un cadavre ranimé par on ne sait quelle force mystérieuse venait de s'emparer de lui, et il résistait presque désespérément au désir morbide de faire partager cette conviction aux deux gars qui, surpris de son silence, échangeaient déjà entre eux des regards ironiques. Il demanda sournoisement :

— C'est-il possible qu'un homme tienne en vie, arrangé comme ça? Regarde sa poitrine, Heurtebise, elle est déjà toute bleue.

— Sûrement qu'il n'ira pas loin. On devrait l'interroger maintenant ou jamais.

— L'interroger! Comment veux-tu que j'interroge ça? Il n'a pas plus de connaissance à ct'heure qu'un vrai mort.

— Savoir... Il y a cinq minutes, il marmottait encore, pas, Louis?

La visible terreur du maire lui rendait courage. Il cracha dans ses mains.

— Allons-y! Pas besoin de s'en faire pour un assassin, il ne s'est pas tant gêné avec la vieille dame, hein?

Il se mit à genoux, cracha de nouveau, et colla sa bouche à l'oreille du moribond.

— Hé, vieux! dit-il de cette voix grasse qui lui gagnait le cœur des filles — hé, vieux! recommence, fais ta prière.

Les mots parvinrent sans doute jusqu'à la cervelle obscure du misérable, car le gémissement qui s'exhalait sans arrêt de sa bouche entrouverte, cessa.

— Juste comme tout à l'heure, remarqua le grand Louis triomphant. Et maintenant sûr qu'il va parler, hein, Claude?

Le sang, qui avait coulé le long du dos jusqu'au cou alors qu'il était couché tête en bas au revers de la pente, faisait, entre le col et la chemise, une boule épaisse de sang coagulé. Cette espèce de tumeur frémit.

— Laissez-le tranquille, bégaya le maire d'une voix tremblante.

Une des mains se détacha du mouchoir, s'éleva lentement à la hauteur du menton. Elle était si livide que les cernes des ongles malpropres s'y détachaient avec une extraordinaire netteté. Un long moment, elle resta ainsi suspendue, hésitante, puis reprit son ascension, flotta une seconde à quelque distance du front, retomba lourdement sur les genoux.

— Le gars doit faire son signe de croix!

Mais comme ses camarades, il ne pouvait maintenant détacher ses yeux de la cime du grand orme qu'ils examinaient branche à branche avec une curiosité mêlée de peur.

III

— Il n'y aura pas de messe ce matin, que je te dis, Sainte Nitouche! Et peut-être pas avant dimanche, ainsi!

— Et pourquoi ça, mademoiselle Céleste? On va sûrement me le demander...

— Si on te le demande, tu répondras que tu n'en sais rien.

Le petit clergeon fait docilement « oui » de la tête. C'est le fils de Mme Gaspard, une veuve, et il doit rentrer à l'automne au séminaire de Gap, à l'école des prêtres. Ses traits charmants ont une gravité précoce. La vieille déteste, sans d'ailleurs savoir pourquoi, les beaux yeux longs, toujours cernés d'une ombre bleue, la bouche pâle, la double fossette du menton, aussi doux que celui d'une femme. Quand il sourit, ses narines battent, comme ses paupières bistrées, à la même cadence.

— Tiens! dit-elle tout à coup, prends ça, et fiche-moi le camp.

Elle lui a mis dans la main une grosse pomme et le pousse vers la porte, en grognant. Elle ne s'expliquera jamais ce brusque mouvement de pitié, peut-être de tendresse, et lui ne se l'explique pas non plus. Comment devinerait-il qu'elle a cru reconnaître, soudain, en un éclair... Oui, c'est bien ainsi qu'il devait être, voilà quinze ans : un autre petit paysan tout pareil, avec son sourire triste... le nouveau curé de Mégère.

— A qui parlez-vous, Céleste? demande le prêtre de l'autre côté du mur. Ne craignez rien, je suis réveillé depuis longtemps.

Elle dénoue en hâte le cordon de son tablier, court jusqu'à la porte, et reste sur le seuil, très rouge.

— A l'enfant de chœur, monsieur le curé. Il venait s'informer, rapport à votre messe. Vous pouvez pas dire votre messe aujourd'hui.

— Priez-le d'entrer.

Elle revint dans la cuisine, bourrue. Quel plaisir elle aurait à calotter ce jocrisse! Mais il ne perdra rien pour attendre!

— M. le curé t'appelle, dit-elle avec un rire forcé; mouche ton nez, tâche d'être poli, et ne va pas le fatiguer avec tes contes. Pensez! après une nuit pareille.

Le nouveau curé de Mégère est dans son lit, enveloppé d'une écharpe de laine noire qui se croise à la hauteur de la poitrine et fait plusieurs fois le tour de ses hanches. Une couverture est jetée sur les jambes et il tient son bréviaire

d'une main, tandis que l'autre caresse le front
de l'enfant, y dessine vaguement une croix.

— Comment vous appelez-vous? dit-il.

— Gaspard André.

Ce *vous* fait monter un peu de sang aux joues
du petit garçon. L'instituteur lui-même le tutoie
toujours, sauf une fois l'an, à la visite de M. l'inspecteur.

— Votre nom de famille?

— Gaspard.

— Alors vous devez dire André Gaspard. André, je regrette que vous vous soyez dérangé
inutilement ce matin. Peut-être savez-vous que...

— Oui, oui, monsieur le curé, commença
l'enfant, les yeux brillants de plaisir sous les paupières baissées.

Mais le prêtre mit un doigt sur sa bouche.

— Chut! ne parlons pas de ces choses hor-
ribles. Hélas! vous ne vous y intéressez que trop.
Il faut tâcher d'écarter tout cela de votre pensée,
mon ami.

Ses traits se crispèrent douloureusement, tandis qu'il contemplait le mince visage tourné vers
lui avec une sorte de compassion paternelle.

— Regardez-moi, fit-il de sa voix calme, regardez-moi dans les yeux, tout droit, n'ayez pas
peur. Lorsque Dieu nous met en présence d'un
maître, l'avenir peut dépendre d'un premier
regard, bien franc, bien net. Sinon, que ne
risque-t-on pas! Nous sommes destinés à travailler ensemble, mon enfant. « Destinés », compre-

nez-vous? Le destin — réfléchissez un peu à cela
— c'est un beau mot, un mot divin, de ces mots
qu'un petit garçon doit comprendre; les mots
divins sont faits à son usage, ce sont des mots
innocents.

Ses yeux n'avaient pas quitté ceux du clergeon, qui ne les évitait plus, croyait y voir naître
et s'effacer peu à peu, ainsi que dans une eau
profonde et pure, chacune de ces paroles dont
le sens échappait à son esprit, mais qui réchauf-
faient si délicieusement son cœur.

— Oui, poursuivit le prêtre, comme s'il répon-
dait à sa pensée secrète, oui, tout cela doit vous
paraître très obscur. A votre âge, la vie semble
un jeu, une longue série de chances heureuses
ou non. L'expérience se chargera de vous dé-
tromper. Ce que vous devez graver dès maintenant dans votre âme, c'est l'idée que rien de ce
qui arrive n'arrive en vain. Après quoi, nous
nous aiderons mutuellement, nous serons amis,
amis pour toujours. Savez-vous un peu de latin?

— Non, monsieur le curé.

— Dommage. Un servant de messe doit aimer
le latin, et qui aime le latin finit par l'apprendre, presque à son insu. L'apprendrez-vous?

— J'irai à Gap, l'automne prochain, étudier
pour être...

Une pudeur singulière retint le mot sur ses
lèvres. Celui qui parlait un tel langage lui semblait maintenant trop loin de lui, à une hauteur
qu'il n'atteindrait jamais, même en rêve.

— Prêtre, dit le curé de Mégère, d'une voix pleine de tendresse...

» Je l'avais deviné au premier coup d'œil, reprit-il après un long silence. Mon enfant, vous saurez plus tard comme un prêtre est seul, reste seul, même dans une bonne et honnête paroisse comme celle-ci. Alors vous comprendrez combien votre rencontre aujourd'hui m'a été douce, car je suis peut-être plus seul qu'un autre — je veux dire que vous me trouverez sans doute un peu différent de... des...

— Oh! oui, s'écria passionnément l'enfant.

Le curé de Mégère sourit.

— Voyez-vous, le petit flatteur, dit-il. Différent ne signifie pas meilleur, hélas! Les curés que vous connaissez sont plus... un peu plus rudes que moi, sans doute. C'est qu'ils ont travaillé, souffert. Rudes — et non pas durs. Respectez cette rudesse, mon petit, et même leurs défauts, s'ils en ont. Ces défauts-là, le temps, le travail, les déceptions, les injustices les ont imprimés en eux, ce sont les rides de l'âme. Aimez-vous moins votre mère parce que son visage n'est plus aussi pur et aussi lisse que le vôtre?

Il ramena les pointes de son châle en frissonnant.

— Je regrette de ne pouvoir aller maintenant jusqu'à l'église, il me semble que ce ne serait guère prudent. J'ai sûrement pris la fièvre cette nuit.

— Voilà le grog de M. le curé, dit la voix de

Céleste dans le couloir. Et ne vous fatiguez pas
tant!

Elle posa sur la table le bol bouillant, toisa
le clergeon du même regard empirique, infail-
lible dont elle estimait le poids d'un poulet de
grain, haussa les épaules et sortit. Le curé de
Mégère attendit patiemment que le bruit des
socques sur le pavé l'avertît que la servante avait
quitté son poste d'observation derrière la porte.

— Il faudra vous réconcilier avec Mlle Céleste, dit-il avec un sourire complice. Je vous y
aiderai. Les vieilles gens sont plus faciles à sé-
duire qu'on ne pense. Il suffit de paraître tenir
compte de leur avis sans... oh! ce n'est qu'une
ruse innocente. Ici, André, vous n'aurez pas
d'autre maître que moi.

Sa main caressa de nouveau le front de l'enfant, ses joues.

— Ainsi notre gouvernante, poursuivit-il avec
espièglerie, voudra sûrement nous consigner à la
chambre. Je n'aurai pas la cruauté de la contredire — à quoi bon? Rien n'est plus facile que
sortir d'ici. Mais je n'aurai pas de secrets pour
vous, aucun secret...

— A la brume, reprit-il, j'irai certainement
jusqu'à l'église. Y allez-vous très souvent?

— Quelquefois.

— Ce n'est pas assez. Nous sommes de pauvres
gens, de très pauvres gens, nous n'aimons pas le
bon Dieu aussi naturellement que nous nous
aimons nous-mêmes, le péché originel le veut

ainsi : s'en irriter ne servirait à rien. Mais nous
pouvons prendre l'habitude de la prière — la
prière devient une habitude — une chère — la
plus chère de nos habitudes. Quand vous serez
prêtre...

Il s'arrêta sur ce mot, comme s'y était arrêté
le petit clergeon et avec la même pudeur émou-
vante. Il reprit à voix plus basse encore :

— Vous m'attendrez à l'entrée du jardin dès
la tombée du jour. C'est l'heure à laquelle
Mlle Céleste fait ses courses, si je l'en crois du
moins. Ne vous parais-je pas bien craintif?

— Oh! non, se récria l'enfant. Vous n'avez
pas l'air de ça. Je voudrais...

Il avait commencé dans un élan de tout son
être et s'arrêta brusquement, rouge de honte et
de plaisir. Une fois de plus, il croyait lire sa pensée au fond du regard si calme.

— Je voudrais vous ressembler un jour, termina tranquillement le curé de Mégère. N'est-ce
pas cela que vous alliez dire?

— Oui, balbutia le petit clergeon.

Il cherchait une parole qui exprimât sa mer-
veilleuse surprise et ne la trouvait pas. La solitude exaltée où s'était nourri si longtemps son
jeune orgueil parmi ces hommes grossiers qu'il
redoutait et méprisait à la fois, ne serait pas
rompue en un jour, mais il la sentait toute prête
à céder, à s'ouvrir, ainsi qu'un mur battu par
la mer. Toute parole eût d'ailleurs paru vile à

son cœur comblé. Ses longs yeux s'emplirent de larmes.

Le prêtre parut ne pas les voir, et aussitôt l'enfant ne put les retenir, elles inondèrent ses joues. Il se pencha sur la main du curé de Mégère, la baisa. Puis il resta la face enfouie dans les plis de la couverture sans oser faire un mouvement.

— Et maintenant, reprit le prêtre après un long silence, je puis vous parler plus librement de... des... enfin de ce drame affreux... Madame... mademoiselle... notre sonneuse, je crois?

— Mamzelle Phémie?

— C'est cela même. Mlle Phémie est venue nous apprendre au petit jour que la police avait découvert deux cadavres. Deux cadavres! Dieu l'a ainsi voulu. Comment aurais-je pu intervenir plus tôt?

— Deux cadavres, répéta l'enfant. Je croyais...

Le curé de Mégère l'interrogea du regard.

— Que croyez-vous?

— Ils disaient tout à l'heure que... que l'homme était encore en vie.

— En vie!... reprit le prêtre d'une voix profonde, presque sinistre. Madame Céleste!

La servante parut aussitôt.

— Madame Céleste, est-il vrai que...

Il n'eut pas besoin d'ajouter un mot. La vieille fille après avoir jeté sur le plafond un regard suppliant, se mit à trembler comme la feuille.

— Vous m'avez menti, continua le prêtre, vous le saviez...

— Ce n'était qu'un bruit, balbutia la pauvre femme, on dit tant de choses. La gendarmerie est sur les lieux depuis cinq heures. Paraît qu'on ne laisse plus passer personne.

Tandis qu'elle parlait, le curé de Mégère enfilait ses gros souliers encore humides. Ainsi vêtu d'un maillot de laine beaucoup trop large pour lui, dont les plis tombaient sur sa poitrine et d'un pantalon gris serré aux genoux, il n'était pas très différent d'un de ces sportifs sans âge que le village voyait revenir chaque année à la fin du printemps et qui — n'étaient leurs visages marqués de rides volontaires — ressemblaient assez à des demoiselles. Toujours aussi simplement, sans mot dire, il alla chercher sa soutane qu'il avait pliée soigneusement sur le dossier de l'unique chaise. Au moment de sortir, il s'arrêta devant la servante et brusquement le sourire revint sur ses lèvres.

— Je vais déjà mieux, dit-il, ne vous faites pas de souci.

D'un regard, il fit au petit clergeon signe de le suivre. Et sur le seuil, se retournant encore :

— Mon devoir, commença-t-il...

Mais ce qu'il lut de crainte, d'humiliation, de véritable souffrance sur les traits bouleversés de Mlle Céleste parut le surprendre. Il fit un geste amical de la main et désespérant sans doute de se faire comprendre de cette inoffensive créa-

ture en un tel moment, il secoua la tête d'un air
de compassion et d'impuissance, noua son
écharpe autour de son cou, sortit.

—— Menez-moi là-bas par le plus court, dit-il à
l'enfant. Est-il possible d'éviter le village? Je ne
veux pas qu'on me croie capable de favoriser
une opération de police, quelle qu'elle soit.

Ils prirent à travers les prés. Un peu plus
loin la terre s'appauvrit, le rocher affleure, la
pente se couvre de bruyères et d'ajoncs dans lesquels s'embarrassait son ample soutane. Au som-
met de la colline, il était visiblement à bout de
forces, livide. Il dut s'asseoir sur une pierre, pressant des deux mains sa poitrine. Au-dessous
d'eux, la maison des Drumeau, cachée par un
repli du terrain, se voyait à peine, mais des gens
allaient et venaient sur la route. Ils reconnurent
les képis galonnés des gendarmes.

— Courage! murmura le curé de Mégère,
comme s'il se fût parlé à lui-même.

Il se remit sur ses jambes avec un gémissement
de douleur. Inconsciemment ou non, sa main
cherchait celle du petit clergeon, qui la sentit
sèche et brûlante.

— Distinguez-vous clairement la route? dit-il.
Mes yeux se troublent, j'ai horriblement mal à
la tête.

— Il y a beaucoup de monde en bas, sur la
route, et un autre groupe un peu plus haut,

dans le taillis. D'où nous sommes, il n'est pas possible de voir le château.

— Allons.

Ils eurent beaucoup de peine à se frayer un chemin. L'espèce de sentier qu'ils suivaient était encombré de grosses pierres, roulées là par les crues d'avril.

— Vous pourriez vous reposer un moment chez Drumeau, monsieur le curé. La maison n'est pas loin, à présent, sur notre gauche.

— Non, dit le prêtre entre ses dents, avec une énergie farouche.

Ce fut Claude Heurtebise qui les aperçut le premier. Ils le virent échanger quelques mots avec un gendarme, mais la distance était encore trop grande pour qu'ils pussent rien entendre. Le gendarme, d'ailleurs, se remit aussitôt à son travail. Il semblait mesurer avec beaucoup de soin la largeur de la route, d'un arbre à l'autre.

Le maire sortit si brusquement du fourré que l'enfant poussa un cri de terreur. A la vue du prêtre, la figure poupine exprima moins de surprise que d'ennui.

— Qui aurait pu croire? répétait-il, en passant son énorme mouchoir sur son front ruisselant de sueur, malgré le froid. C'est pas croyable!

Mais le curé de Mégère, encore livide, avait retrouvé cet air d'attention courtoise, de conviction grave et douce qui rendait courage à tous. Les yeux du gros homme s'éclairèrent instantanément.

— Bah! monsieur le curé, dit-il, vous n'êtes pas de trop. Pour moi, les gendarmes bafouillent. Ils vont, ils viennent, arpentent le chemin, comptent les pierres, sacrés farceurs! Auraient-ils pas mieux fait de battre le pays tout de suite? Sûr que l'assassin a des complices.

— Vit-il encore vraiment? Cette nuit, notre sonneuse avait parlé de deux cadavres.

— Oh! vivre... enfin ça vit si on veut, j'appelle pas ça vivre, non. Mettons qu'il râle un coup ou deux par-ci, par-là.

— Comment ne m'a-t-on pas prévenu? dit le prêtre d'un air sombre. Je ne puis être d'aucun secours à l'enquête sinon par le témoignage que vous savez. Mais il ne s'agit pas de témoignage. Aux yeux d'un prêtre, monsieur le maire, il n'y a pas d'assassin, je ne connais que le mourant.

Il prononça ces paroles, qui eussent pu prêter à quelque emphase, avec une telle simplicité que le maire reconnut plus tard — selon sa propre expression — en avoir eu « la larme à l'œil ».

Le curé de Mégère n'eut pas besoin d'écarter les rangs pressés des spectateurs, ils s'ouvrirent d'eux-mêmes aussitôt que sa longue silhouette noire apparut dans le taillis. Un gendarme détourna la tête en sifflant, l'autre souleva son képi.

Le moribond semblait dormir. Le pansement fait récemment en hâte par le docteur et encore immaculé, bombait fortement autour du torse

nu. Sa mauvaise culotte rabattue sur les genoux
découvrait le ventre sur lequel on avait jeté une
serviette tachée de sang. Les pieds étaient nus
dans les chaussettes, car en dépit de toutes les
recherches, les sabots, probablement abandon-
nés au cours de sa fuite à travers le parc, étaient
restés introuvables. Le râle dont le maire avait
parlé ne s'entendait plus : il se devinait seulement au frémissement et au crépitement de
l'écume sur les lèvres bleues.

— Docteur Niclausse, dit une voix, d'un ton
de brièveté militaire.

Le curé de Mégère se retourna brusquement.

— Comment est votre blessé? fit-il.

— Coma. Nous attendons l'ambulance depuis
deux heures. Dans l'état où il est, je redoute de
le faire transporter sur un brancard de fortune,
par ces maladroits.

— Sans connaissance?

— Coma, répliqua l'autre avec une brusquerie sans doute affectée (il grelottait de froid sous
son léger pardessus). Ce n'est probablement pas
la même chose. On ne sait rien. Qu'il ne voie
pas, sûr, pour la bonne raison que le muscle des
paupières ne sera maintenant détendu que par
la mort. Mais il est possible qu'il entende aussi
bien que vous ou moi.

Le prêtre soupira mais garda le silence. Parmi
tous ces hommes empressés autour du misérable
vaincu, et si malhabiles à déguiser la curiosité
sauvage qui donnait à leurs visages, d'ordinaire

insignifiants, une expression de férocité sournoise, il semblait faire effort pour cacher son dégoût. Les yeux se baissaient d'eux-mêmes, dès qu'il appuyait un moment sur eux son regard vague et triste. Toujours en silence, il s'approcha du moribond, s'agenouilla et commença à prier. D'un accord tacite, ils s'écartèrent tous, les uns après les autres. Le médecin de Mégère lui-même, tirant une cigarette de son étui, s'éloigna dans la direction de la route. Quelques minutes se passèrent.

— Docteur, appela le prêtre tout à coup.

Sa voix était plus grave.

— Il est mort, reprit-il, du moins je le crois.

Le maire fut près de lui le premier. Bien qu'il essayât de le dissimuler, son soulagement était visible. Il demanda sur un ton que le tragique des circonstances empêchait seul d'être comique :

— Il est bien mort? En êtes-vous sûr?

Le prêtre lui tourna le dos.

— Je m'y attendais, fit le médecin de Mégère.

Il ausculta le cœur un long moment, releva la tête et dit, exagérant encore sa froideur professionnelle :

— Pas mort. Il y a même dans tout cela une chose qui m'échappe, poursuivit-il à voix basse, et presque à l'oreille du curé de Mégère... La respiration doit être embarrassée par quelque caillot, le cœur se défend bien.

— On ne peut quand même pas le laisser là, remarqua l'un des gendarmes avec un regard

de biais vers le prêtre, sans doute dans l'espoir
d'être approuvé.

La petite moustache blonde du docteur trembla de colère.

— Monsieur le gendarme, dit-il, vous parlez
comme un imbécile. Le moribond est intrans-
portable, in-trans-por-ta-ble, comprenez-vous?

Il pirouetta sur les talons et interrogea des
yeux le grand Heurtebise qui accourait du château, tout essoufflé :

— M. le juge d'instruction nous demande
tous là-haut! Rassemblement!

Ils remontèrent la pente. Après avoir hésité
un moment, le curé de Mégère les suivit comme
à regret.

— Messieurs, dit le magistrat sitôt qu'ils se
furent groupés autour de la table sur laquelle
le greffier étalait son maigre dossier, il importe
que nous restions ici entre nous. On ne laissera
désormais passer personne, sous quelque prétexte que ce soit. Il y a eu déjà dans ce parc
beaucoup trop d'allées et venues, monsieur le
maire, et si vous laissez faire, nous aurons bientôt tout le village sur le dos. Je ne veux près de
moi que les premiers témoins. Procédons par
ordre.

Il se courba poliment sur sa chaise et dit :

— Monsieur le desservant d'abord... Et qu'est-
ce que tu fiches là, toi, galopin?

— Mon enfant de chœur, intervint doucement le curé de Mégère. Partez, André, vous
voudrez bien prévenir ma gouvernante que je
serai de retour dans vingt minutes; j'irai seul,
je connais maintenant le chemin. Monsieur le
juge d'instruction, ma déposition sera courte.
J'ai quitté Grenoble à trois heures environ et...

— Plutôt quatre heures, rectifia le magistrat
en souriant. Dès le coup de téléphone, je me suis
permis de m'informer avant mon départ. Je sais
donc que vous êtes arrivé par le train de
dix heures, que vous avez pris votre repas de
midi à l'hôtel de l'Univers, que vous avez manqué la patache, fait une partie de la route avec
un industriel connu de Lyon, et le reste du
voyage dans la carriole de Mathurin dont une
première déposition a déjà été recueillie qui sera
d'ailleurs complétée, car elle signale un fait curieux — très curieux, que vous ne pouvez
connaître. Mais tout cela n'a qu'une importance
secondaire. Votre arrivée est antérieure au crime
de plus d'une heure et demie. Laissez-moi vous
exprimer mon regret de vous déranger de si bon
matin après une journée qui n'a été que trop
bien remplie. Je dois vous remercier encore du
concours précieux que vous avez apporté, que
vous apporterez à l'œuvre de la justice.

Le visage si jeune — l'émotion et la fatigue
en accusaient encore l'extraordinaire finesse —
se durcit.

— Pardon, dit le prêtre, posément. J'ai fait de

mon mieux pour prévenir un malheur, je déplore de n'avoir pas réussi. Mon rôle devrait finir là. Nouveau venu dans cette paroisse, je me crois tenu à une très grande réserve; je ne pourrais accepter d'inaugurer un modeste ministère, déjà rendu difficile, par une collaboration avec...

— La police, conclut le juge. Ce scrupule vous honore, monsieur le desservant. Néanmoins, vous devez comprendre...

— Il sait ce qu'il veut, le gars, dit tout bas le grand Claude à l'oreille de son frère, avec admiration.

— Toute enquête de police est susceptible de s'égarer sur ce que nous appelons des fausses pistes, continua le prêtre. La justice des hommes, monsieur, ne considère que les résultats, elle ne va donc pas sans injustice, ou du moins sans possibilité d'injustice. C'est pourquoi elle n'est pas la mienne.

— Bon! fit le magistrat d'une voix sèche, bien qu'il ne cessât pas de sourire. Tenons-nous-en à l'essentiel. Vous avez été réveillé par...

— Je n'ai pas été réveillé. J'avais mis beaucoup de temps à ouvrir mes malles, à mettre en ordre mes livres, bref à m'installer dans une chambre que je ne connaissais pas. Je venais seulement de m'étendre sur mon lit. Peut-être y ai-je fermé les yeux quelques minutes, c'est tout. J'ai donc entendu très distinctement plusieurs cris, suivis d'un claquement sec que j'ai pris pour un coup de pistolet. Madame... Madame... Bon...

je ne me souviens plus du nom de la propriétaire de ce château.

— Beauchamp, fit le maire. Mme Beauchamp.

— Mme Beauchamp a dû...

— La victime a été assommée par-derrière,
et, d'après nos premières constatations, alors
qu'elle tournait le dos à la porte du cabinet de
toilette où devait se trouver caché l'assassin. On
a pu relever, en effet, au fond d'un placard très
profond, sur une pile de linge sale, la marque
très reconnaissable d'un corps qui a dû y rester
longtemps accroupi.

D'un coup d'œil, il réprima le murmure qui
s'élevait du groupe des témoins.

— Inutile d'exprimer vos sentiments. Nous
ne sommes pas au cinéma.

— De plus, continua-t-il, les persiennes de la
chambre et du cabinet semblent être restées
closes. Je dis « semblent » parce que, après tout,
rien n'interdit de supposer qu'elles ont été fer-
mées après le crime. Du troisième et probable
acteur du drame, nous ne savons rien et l'hypothèse invraisemblable peut être la bonne.

Il tapota distraitement la table de ses doigts.

— Bref, reprit-il après un long silence, les cris
que vous avez entendus, monsieur le desservant,
n'ont probablement pas été poussés par la personne dont vous venez de prononcer le nom. Les
vérifications seront faites ultérieurement, d'ailleurs. Mais au premier examen, la distance de
cette maison à la vôtre, l'épaisseur du taillis, ne

lui auraient pas permis de se faire entendre. Il
y a eu deux crimes, monsieur, et jusqu'ici je ne
saurais même affirmer qu'ils soient de la même
main.

Le prêtre fit un geste d'indifférence.

— Ce que je puis assurer, dit-il simplement,
c'est qu'une femme — oui, c'était une voix de
femme ou de très jeune homme peut-être — a
appelé au secours, cette nuit, vers deux heures.
J'ai cru aussi entendre un coup de feu.

Il réfléchit un instant.

— Me serait-il permis de me rendre compte
de l'orientation des deux pièces? Je ne connais
pas le pays, et il me serait impossible de dire
dans quelle direction se trouve mon presbytère.

— J'allais justement vous le proposer, dit le
juge.

La vieille dame sourit toujours, mais on lui
a mis un bonnet neuf, et ses mâchoires sont
maintenues par une mentonnière étroitement
serrée. La piété de la gouvernante a déjà disposé
au pied du lit la table rituelle recouverte d'une
nappe blanche, la soucoupe d'eau bénite, le brin
de buis, un crucifix. A l'entrée des deux hommes,
elle se lève et ils échangent un grave salut.

— La façade de votre presbytère est orientée
vers le sud, nous ne pouvons donc l'apercevoir
que de profil, et encore vous verrez tout juste
l'angle gauche du toit, derrière les arbres.

— La distance est grande, en effet, reconnaît le prêtre d'une voix rêveuse.

Il revient s'agenouiller près du lit, prie longuement la tête dans ses mains. Le juge s'affaire dans le cabinet; Mme Louise s'approche, se penche.

— J'irai vous voir, monsieur le curé, dit-elle à voix si basse qu'il eût pu douter de l'avoir réellement entendue.

Lorsqu'il tourne la tête, elle a déjà repris sa place au fond du grand fauteuil, égrène son chapelet, sans paraître avoir remarqué le salut discret du juge qui grommelle dans l'escalier.

— Une ancienne religieuse sécularisée, la gouvernante... Insoupçonnable, mais suspecte. Voyez-vous, reprit-il en débouchant sur le perron, vous êtes jeune, monsieur le desservant, très jeune, et néanmoins il est clair que vous avez l'expérience des hommes, moi aussi.

— Ce n'est peut-être pas tout à fait la même.

— D'accord. La mienne est plutôt — soyons francs — pessimiste. Ce... ce pessimisme — je regrette de ne pas trouver un autre mot — m'a permis de résoudre un certain nombre d'affaires en apparence compliquées — en apparence seulement — et il en a embrouillé d'autres, parfois d'une manière irréparable. La méfiance, dans mon état, est une bonne chose, excellente même, aussi longtemps qu'elle excite le jugement mais ne le commande pas, ne devient pas un simple réflexe. Le danger, c'est que l'homme méfiant finit par se méfier de sa méfiance. Il n'a plus alors la liberté d'esprit nécessaire.

Il rougit un peu sous le regard froidement interrogateur du prêtre.

— Savez-vous que vous m'embarrassez, dit-il avec un sourire fin. On ne m'embarrasse pas facilement.

Il essuya son binocle, l'ajusta soigneusement sur son petit nez rose et court, qui le faisait ressembler à Balzac.

— J'approuve vos scrupules, notez-le bien. Nos montagnards sont méfiants, ils ne vous pardonneraient pas la moindre indiscrétion dont nous pourrions tirer profit. Soit. Mais vous ne me refuserez pas le plaisir, l'avantage, le bénéfice intellectuel de vous tenir au courant de mon enquête, à titre purement amical, bien entendu.

Le prêtre fit un signe équivoque des épaules, comme s'il ne comprenait pas.

— Vous m'apportez quelque chose de très précieux, d'incomparable, un regard neuf. Ces gens me sont trop connus, à peine arrivons-nous à les distinguer les uns des autres. Un seul mot de vous peut me mettre en garde, m'épargner une faute, une imprudence, une injustice. Car j'avoue avoir déjà mon opinion sur cette affaire.

— Laquelle? demanda le prêtre.

Le groupe formé autour de la table contemplait avec une curiosité mêlée de stupeur le magistrat aux cheveux gris s'entretenant avec ce

jeune prêtre inconnu sur un ton d'empresse-
ment et de déférence.

— L'auteur du crime — je veux dire l'auteur
principal — est un habitant de Mégère, fit-il en
donnant à son visage une expression vague et
distraite. De toutes manières, nous serons bientôt fixés : on ne sort pas d'un pays comme celui-
ci plus facilement qu'on y entre, et, à l'heure
actuelle, de Fillière à Dombasle, tous les chemins
sont gardés... Permettez?

Il tourna le dos brusquement, descendit les
marches et s'engagea dans l'allée de toute la
vitesse de ses courtes jambes.

— Monsieur le procureur de la République...

— Bonjour, Neuville, dit le nouveau venu.
Chien de temps!

Il baissa le col de sa pelisse et ses moustaches
gauloises apparurent hérissées de minuscules
glaçons.

— Qu'est-ce que c'est?

Il désignait du menton le prêtre qui, après
avoir hésité, remonta les marches et rentra dans
la maison.

— Le nouveau curé de Mégère.

— Ah! On m'en a dit beaucoup de bien. Très
jeune. Venu cette nuit, hein?

— Un homme supérieur, affirma le juge, dont
toute la personne, et jusqu'à l'expression, jusqu'au regard, venait de se transformer avec une
rapidité surprenante.

— Au travail, messieurs.

Le procureur souleva légèrement son chapeau
avec un regard circulaire.

— Enlevez les paperasses! Pas de paperasses
ici! dit-il au greffier. Parlons d'abord. Causons
entre nous à la bonne franquette. Vous gros-
soyerez après.

Et comme la toux discrète du juge semblait
devoir préluder à un exposé méthodique de l'affaire :

— Sais tout. Inutile. Où sont les premiers
témoins? Où est le maire? C'est vous qui avez
trouvé le cadavre?

— Oui, monsieur le procureur.

— Seul?

— Non, monsieur le procureur. Mon garde
champêtre, les deux Heurtebise et Drumeau.

— Présentez. Bon. Messieurs, veuillez vous
rassembler un peu plus loin à l'écart. Merci. Où
est la petite bonne?

— J'aurais désiré que la gouvernante... sug-
géra timidement le juge.

— Petite bonne, répéta le procureur.

Ses yeux gris où la lumière tremble sans cesse
au point de donner la double impression contra-
dictoire du scintillement et de la fixité, comme
animés d'une sorte de mouvement brownien,
parurent se remplir d'une eau trouble, tandis
que la lèvre inférieure projetée en avant ainsi
que par la détente d'un ressort invisible découvrait des dents jaunes, carrées, pareilles à celles
d'un cheval. Instruit par une longue expérience

et résigné à subir tôt ou tard des confidences dont la minutieuse et monotone obscénité eût lassé tout autre servilité que la sienne, le juge ne put néanmoins retenir un soupir.

— Appelez Mlle Philomène, ordonna-t-il de cette voix basse avec laquelle il commandait chaque soir son absinthe au café des Deux Garçons.

— Philomène Depouilly, dix-sept ans, née à Mégère, en service chez Mme Beauchamp depuis le mois d'août... Bon... j'écoute.

La petite servante chiffonnait le coin de son tablier.

— Vous troublez pas, reprit le procureur. Inutile de regarder M. le maire. Deux mots. Avez-vous un amoureux?

Il dédaigna de lever les yeux, ainsi qu'un vieil acteur sûr de son effet. Mais la réplique lui fut renvoyée comme une balle :

— Oui, monsieur.

— Nom?

— Si, m'sieu.

— Demande son nom.

— Comment il s'appelle? Le fils à Mme Rouart, monsieur.

— Depuis quand?

— La foire de Molènes.

— Vient ici?

— Oui, m'sieu.

— Dans la maison?

— Non, m'sieu.

— Si.

— Non, m'sieu, dans le parc quand je vas chercher le lait à la ferme.

— Rendez-vous hier soir?

— Oui, m'sieu.

— Dites donc, s'écria le procureur décidément hors de lui, est-ce que vous vous fichez de moi?

La petite soutint son regard avec une assurance tranquille, et le juge d'instruction estima aussitôt indispensable d'essuyer plus soigneusement que jamais le verre de son binocle terni par la buée.

— Assez pour aujourd'hui, conclut le procureur redevenu paternel. Vous remercie votre franchise. Pouvez disposer. Sacrée mâtine, fit-il à l'oreille de son subordonné. Je vous raconterai un jour...

Mais l'apparition du curé de Mégère au haut du perron les tira d'embarras tous les deux. Le jeune prêtre s'avançait de son pas silencieux, clignant des paupières, ébloui par le jour.

— Messieurs, dit-il, je vous demande la permission de me retirer.

Son ton était celui d'un homme à bout de forces et il y avait dans toute sa personne un air de renoncement, d'abandon.

Il s'inclina distraitement devant le procureur, cherchant le regard du juge qui répondit par un signe imperceptible.

— Vous permettez? J'accompagne monsieur le curé quelques pas.

— De quoi s'agit-il? Qu'est-ce qui se passe?

— Je crois que je puis avoir confiance en vous, murmura le prêtre sur le même ton. Je désirerais vous parler. Je ne quitterai pas mon presbytère aujourd'hui.

Il respirait difficilement, pressant son mouchoir entre ses lèvres. Le juge admira ses mains soignées, aux longs doigts, — des mains d'évêque. Entre deux quintes de toux, le prêtre ajouta :

— Je me sens très mal.

Mme Louise avait recouvert le cadavre d'un voile de gaze, mais le sourire de la vieille dame n'en paraissait que plus ironique. Sa bouche sans dents, effondrée par la contraction musculaire, ne faisait entre la pointe du nez et celle du menton qu'une poche d'ombre encore approfondie par la double et funèbre saillie des pommettes dont l'os semblait prêt à percer la peau. Les vains efforts de la gouvernante pour effacer avec son mouchoir la couche épaisse de fard n'avaient réussi qu'à l'étaler jusqu'aux tempes, donnant à ce visage de petite bourgeoise un air de mascarade funèbre.

— La victime possédait-elle un revolver? demanda tout à coup le procureur.

A cette question, le juge qui feignait d'examiner attentivement la fenêtre, se retourna brusquement.

— Oui, monsieur, dit l'ancienne religieuse.

Elle alla droit vers le secrétaire, ouvrit un tiroir et de la même voix indifférente :

— Il était là d'ordinaire.

— Il était là, répéta le procureur. Il n'y est plus. Bon; la victime...

Mais la réponse vint avant qu'il eût achevé sa phrase.

— Mme Beauchamp n'y attachait aucune importance, monsieur le procureur. Elle n'était pas craintive. Nous n'avions d'ailleurs aucune raison de craindre qui que ce fût. La maison nous a toujours paru un peu isolée, voilà tout.

— Votre maîtresse, le cas échéant, eût-elle été capable de se défendre, de se servir d'une arme à feu?

— Certainement. C'était la femme d'un militaire, elle avait beaucoup voyagé, parfois même dans des contrées peu sûres, au Chili, au Brésil.

— A-t-elle tiré cette nuit?

— Non.

— Pourquoi?

— Parce que je l'aurais entendu. Je dors très peu.

— En somme, vous assuriez vous seule la surveillance et la protection de cette maison?

— Oui, monsieur. Mme Beauchamp menait dans ces derniers temps une vie très... très distraite. Elle ne recevait plus personne depuis des mois. Elle ne s'occupait jamais de rien. Ce que je faisais était bien fait.

— Alors vous auriez dû savoir que votre petite

bonne avait un amoureux qui lui donnait rendez-vous chaque jour dans le parc, à la brune.
Il s'y trouvait encore hier soir, mes renseignements sont formels. Hé bien? Vous saviez ça?

— Oui, monsieur. Il s'agit du fils Rouart, un
bon garçon. Madame s'intéressait à l'établisse-
ment de Philomène et je crois qu'elle lui eût
fourni une petite dot.

Elle s'arrêta perfidement une seconde, juste
assez longtemps pour que le juge dressât l'oreille,
et continua d'une voix qui détachait chaque
syllabe.

— Nous avons recueilli cette enfant après son
passage à Grenoble. Elle y avait souffert au physique et au moral. Le café où elle servait n'était
pas, m'a-t-on dit, des plus sûrs ni des mieux
famés.

Elle se tut, baissa les yeux. La face du procureur s'empourpra.

— B... Bien, dit-il. J'ai simplement noté les
coïncidences. Un homme a été blessé d'un coup
de feu. Un revolver qu'on cherche à sa place
habituelle ne s'y trouve plus. La bonne a un
amant auquel la maison est familière. Or, les
circonstances du crime semblent prouver que
son auteur, s'il ne connaissait les êtres, devait
avoir été très exactement renseigné. Par qui?

Le feu qui avait rougi ses joues s'apaisait peu
à peu, et il allait de long en large à travers la
chambre.

— Je m'étonne, dit-il, que vous n'ayez pas encore eu la curiosité d'aller voir...

— J'attendais qu'on m'en priât. Monsieur le procureur jugera sans doute que j'ai rempli déjà ce matin, de mon mieux, des devoirs assez pénibles. Les forces d'une vieille femme ont des limites, monsieur. Et d'ailleurs, il est peu probable que mon témoignage vous soit utile. Si l'assas... Si le moribond m'était connu, il le serait aussi des gens de Mégère, car Madame ne recevait qu'un très petit nombre d'amis, tous au-dessus du soupçon. Nos fournisseurs sont ceux du village et encore montent-ils rarement au château : je fais les courses nécessaires, chaque matin, après la messe, soit avec Philomène, soit seule. Mais je vous accompagnerai là-bas volontiers, s'il le faut.

Les premiers témoins avaient repris leur place autour de la table. Le juge fit au greffier signe de le suivre, et, s'écartant de quelques pas :

— L'enquête est conduite en dépit du bon sens, fit-il. Jamais vu conduire une enquête comme ça!

Le médecin de Mégère les précédait. Ils le rejoignirent.

— J'ai donné des ordres aux brancardiers... Nous allons le descendre à la mairie — provisoirement —, dit le docteur, nous verrons plus tard. En somme, l'état ne semble pas s'être beaucoup aggravé jusqu'ici. Le cœur se défend mieux. Je viens de téléphoner à mon confrère de

Gesvres. Peut-être réussirons-nous à débarrasser la trachée des caillots qui l'encombrent, — du moins, je le suppose. Car la blessure du poumon n'explique pas les crises aiguës de suffocation que j'observe depuis une heure à peine. Il y a là quelque chose de bizarre.

Le docteur s'accroupit, soulevant la tête du moribond qu'il posa entre ses genoux. La gouvernante serrant son mouchoir sur sa bouche, s'arrêta devant l'inconnu sans d'abord oser lever les yeux. Puis elle le regarda en silence, et poussa un long soupir.

— Je ne le connais pas, dit-elle. Je ne l'ai jamais vu.

— Drôlement vêtu, remarqua le procureur. Drôlement vêtu pour un voyage en montagne. Bigre! Une chemise, une vieille culotte, pas de chaussures... Comment expliquez-vous ça? monsieur le juge d'instruction.

— J'ajoute que la chemise est en flanelle et d'excellente qualité, fit le médecin de Mégère. L'individu portait, en outre, une amulette, une plaque d'identité, ou quelque chose d'approchant, la trace en est visible à la base du cou. Je le prendrais volontiers pour un Italien : il a paru d'ailleurs prononcer quelques mots dans cette langue.

— Italien ou pas Italien, le costume n'est pas ordinaire. Notez aussi que les mains sont sales

mais sans déchirures ni calles. Déguisé en vagabond, hein, Frescheville?

Ils étaient groupés face au mourant, dont le
léger râle, entendu par instants, ressemblait au
bourdonnement d'une abeille. Du haut de la
pente, la voix du grand Heurtebise s'éleva.

— Monsieur le docteur, l'ambulance vient
d'arriver. Ils apportent le brancard.

— Déguisement... peuh (il parlait avec embarras et plutôt de l'air d'un homme qui, soucieux seulement d'esquiver une objection embar-
rassante, garde secrète sa propre opinion).
N'oubliez pas qu'une première enquête a relevé
les traces d'une assez longue station du meurtrier au fond du placard. J'en puis conclure qu'il
a dû circuler à travers la maison avant de trouver sa cachette. Admettons même qu'il s'y soit
rendu directement. On ne traverse pas une maison, même habitée par deux vieilles femmes et
une enfant, même vaste et partiellement aban-
donnée comme celle-ci, en paletot de fourrure,
avec des souliers ferrés. Pour expliquer la présence ici de l'assassin dans ce costume, il suffit
d'imaginer qu'il a été surpris, ou cru l'être, qu'il
s'est enfui avant d'avoir pu remettre la main sur
le paquet de vêtements probablement dissimulé
dans quelque coin du château, ou de ce jardin.

— Très bien, parfait, conclut le procureur.
La raison de la fuite précipitée se devine. Le
coup de feu a été tiré par la vieille dame et l'assassin ne songeait plus qu'à disparaître au plus

vite avec une balle dans la peau. Reste, mon cher Frescheville, que nous n'avons pas encore mis la main sur ce fameux revolver.

— Permettez, commença le docteur qui s'affairait autour du brancard et des porteurs, mais un geste impérieux du petit juge lui coupa la parole, et il termina sa phrase par un bredouillement confus.

Les infirmiers avaient déjà glissé la toile sous le corps inerte. Une dernière fois, le médecin de Mégère approcha le visage de la face obscure, aux paupières closes.

— Tiens, fit-il.

Des doigts, il ouvrait la bouche du moribond et les deux magistrats virent qu'elle était pleine de terre. Entre le pouce et l'index, le docteur élevait à la hauteur de ses yeux un caillou de la grosseur du pouce, souillé d'une bave sanglante. Les yeux du juge jetèrent un éclair, vite éteint.

— Que signifie? demanda le procureur.

— Oh! peu de chose, répliqua le docteur, après un regard échangé avec le petit homme. Sans doute s'est-il débattu un moment, la face contre le sol. Voyez comme il respire mieux maintenant...

Ils remontèrent tous ensemble derrière le brancard, laissant la gouvernante gagner la maison par un autre chemin.

— Monsieur le procureur, dit le juge, je vous demande la permission d'accompagner le blessé jusqu'au village. Il serait utile de nous mettre en communication téléphonique avec la gendarmerie de Grenoble, qui doit avoir terminé les premières vérifications.

Il feignit d'interpréter comme un congé le regard surpris, vaguement soupçonneux de son chef, et sitôt qu'il eut rejoint le docteur il appuya sur son bras une main tremblante, dont l'autre sentit la chaleur à travers sa manche.

— Le procureur rentrera tout à l'heure à Grenoble, fit-il; c'est moi qui orienterai l'enquête. Pas dommage. Le vieux n'est pas si bête qu'il en a l'air, mais il n'a sûrement pas encore, si bon matin, son compte de morphine. Pauvre diable. Je l'ai connu assez brillant, jadis, à Narbonne, avant la mort de sa femme. La petite bonne l'a mis proprement dans sa poche, hein? Il l'a connue chez Mme Estève et, le pis, c'est que l'ancienne religieuse le sait. Un magistrat saisi par la débauche, docteur, ne devrait exercer qu'à Paris!

Il attendait une réponse qui ne vint pas et reprit avec une gaieté forcée :

— Le juge d'instruction doit se méfier de tous, et d'abord de son procureur. Voilà pourquoi je me suis permis... Et maintenant, une simple question : la blessure a-t-elle causé une hémorragie immédiate?

— Certainement.

— Abondante?

— Probable.

— Bon, dit le petit homme avec un soulagement visible. Or, nous n'avons relevé dans la maison, ni dans le parc, aucune trace de sang. Le type a reçu son compte juste à l'endroit où il est tombé.

— Complice?

— Chut! fit le juge, un doigt sur la bouche. Mais ses yeux interrogeaient encore avec inquiétude le visage souriant du docteur de Mégère, qui, d'un air indifférent, laissa tomber tout à coup ces paroles surprenantes :

— Je commence à croire que je sauverai mon bonhomme. Je le souhaite, ne serait-ce que pour apprendre le nom du petit camarade qui lui a fourré ce caillou dans la gorge, hein, cher ami?...

IV

— Allons, Quasimodo, dit le brigadier, tu en as trop dit ou pas assez, faut maintenant aller jusqu'au bout, mon vieux.

La tête de Mathurin allait de l'une à l'autre épaule avec une régularité mécanique ainsi qu'un battant d'horloge. A travers le torchis de la masure, crevé depuis longtemps par la gelée, la bise soufflait si fort que la grêle flamme du foyer se couchait chaque fois sur les cendres avec un hoquet de fumée.

— Qu'est-ce que c'est, au juste, l'histoire que tu nous as racontée hier, ton histoire de femme?

— J'ai vu une femme, répétait le misérable, sûr que je l'ai vue. Une vraie femme avec un caraco de poil. Je l'aurais prise aussi bien pour une bête. Elle se mouvait sans plus de bruit.

— Cigarette? dit le brigadier.

Il la glissa lui-même entre les dents noires, attendit paisiblement que l'autre eût tiré la première bouffée.

— Ne te trouble pas, mon homme. Laisse-toi faire. On ne te demande que des oui et des non, pas vrai, Pietri?

Le Corse approuva du menton. Mais il aurait bien plus volontiers lancé son poing entre les deux yeux qui roulaient dans leurs orbites avec une lenteur solennelle.

— Reprenons l'histoire dès le début, vieux farceur. T'as rencontré le curé un peu au-delà de Servières, bon. Tu l'as amené jusqu'à l'entrée du bourg. Bon et bon. Il est descendu au haut de la côte. Ça va. Le chemin mène droit au presbytère, pas moyen de se tromper, ça va encore. Jusqu'ici rien ne cloche, tout est clair.

— Excusez, remarqua le gendarme. Il aurait pu bifurquer sur la droite, face à la rivière, par le raidillon.

— Oui, dit l'ancien berger dont la voix profonde sonnait comme un tambour. Justement.

— Quoi, oui?... S'agit pas de dire comme nous, t'es libre.

— J'ai cru que le capellan s'était trompé, oui. Une idée seulement. Ouvrant les yeux, je me suis dit : tiens, j'ai dormi. Pharamond s'était mis en travers de la route, les pieds de devant dans le fossé, voilà donc le sous-ventre qui se desserre, la charrette a failli se mettre sur son cul. Pour alors...

— Halte! fit le brigadier patiemment. Tu dors dans ta voiture, farceur? A pas cinq cents mètres de ta cambuse? Des blagues. Tu serais rentré d'abord.

— Fallait que mon cheval souffle, pardi! Montez-la donc, vous, la côte de Rampont. Avec ça que la descente est plus mauvaise encore, pleine de gros cailloux. Je devais-t-y risquer de le laisser aller sur les genoux, misère? Pour alors, j'ai fermé les yeux, le froid m'a saisi, je ne sais plus.

— Combien de temps? Une heure ou deux minutes?

— Sais pas. Le temps d'un *Pater*.

— D'un *Pater*? Tâche de t'expliquer en français.

— Il veut dire d'un Notre Père. Avec ses grimaces, brigadier, le vieux singe est en train de nous rouler. Récite-le donc, ton *Pater*, abruti! Et sais-tu ce que c'est qu'un *Pater*? Tel que t'es, t'as pas dû fatiguer les bancs du catéchisme.

— Les gens parlent ainsi, manière de dire, répliqua le messager d'un air sombre. Pas dormi longtemps, voilà tout.

— Bon. Tu débarques le curé, tu lui montres le chemin, tu fais souffler ton cheval, tu t'endors un moment, tu ouvres les yeux. Fiche-lui la paix, Pietri! Et quoi que t'as vu en ouvrant les yeux?

— Pas grand-chose. Une espèce d'ombre qui se défilait par le chemin de la Hure, je l'ai prise pour un chien perdu.

— Menteur! Sacré menteur! gronda le gendarme. Brigadier... Il a dit voilà pas cinq minutes, une femme en caraco!

Mais le brigadier lui imposa silence d'un violent coup de talon sur les chevilles. Il reprit d'un ton cordial :

— Ecoute, Mathurin, fais-moi plaisir. On va trinquer nous trois. Va querir la bouteille de marc qui ne doit rien au gouvernement, motus! Pietri, mets les tasses sur la table, mon homme. Débrouille! débrouille! Pas la peine d'ouvrir la bouche et de tortiller de la prunelle, garçon! Le litre est là, sous la huche, fais pas l'idiot. Donne-nous la goutte.

Il remplit lui-même les bols, les remplit de nouveau. La sueur perlait au front du messager.

— Le chemin de la Hure, dit-il. Bon. D'accord. Si t'as vu le chemin de la Hure du haut de la côte, t'as de bons yeux, farceur! Avoue donc que tu as été faire un tour sur la route de Dombasle pour te dégourdir, ou quoi?

L'ancien berger réfléchissait, le front dans ses mains, une longue mèche déjà grise pendant jusqu'au menton.

— J'ai entendu sonner une pierre, dit-il enfin. Le vent venait de tourner droit au nord. Il y a son et son. Je me suis dit : on marche dans le chemin de la Hure, le capellan s'est trompé. Faut reconnaître qu'il est jeune, pas habitué au pays et il avait l'air malade, il soufflait tout le temps. J'ai rangé mon cheval sur le bas-côté,

crié un coup, pas trop fort, pour ne pas effrayer
Pharamond.

Il tendit son bol. Nul n'ignorait à Mégère que
l'alcool déliait la langue de Mathurin pour des
heures, mais il buvait presque toujours seul, et
ne parlait guère qu'à son cheval.

— Crié un coup, deux coups, poursuivit-il.
Pensez! La voix devait porter loin. Alors j'ai
dévalé le raidillon. J'aurais dû couper la route
au capellan. Comme j'arrivais au fond, j'ai vu
par la brèche les fenêtres du presbytère allu-
mées. Tiens, que je me suis dit, faut croire que
le curé est rentré quand même. Voilà. Vous
savez le truc.

— Tu mens, fit le brigadier. Au premier
interrogatoire, tu m'as parlé d'une voix. Ecoute,
Mathurin, ma parole de brigadier, tu seras
inquiété en rien, t'es innocent, le juge ne veut
pas qu'on t'embête. Gros rusé! Tu crois qu'on
ne sait pas que tu vends ton gibier et tes truites
à sa dame? Forcément, t'as pas à craindre. T'es
paré.

— La voix m'a paru venir d'un peu plus
haut que le chemin. Elle gémissait à petits
coups, comme ça... heu... heu... C'était de douleur, non, de l'essoufflement plutôt. J'ai pensé :
Voilà que ça remonte la pente, je peux
couper au court, il y a chance d'arriver avant la
route. Et dans le moment que je déboulais
parmi les pierres, je l'ai rencontrée, je l'aurais
pu toucher de la main.

Il écarta les doigts de son visage, et leva au plafond des yeux si noyés d'ivresse que le brigadier sentit dans le creux de sa poitrine le frisson d'angoisse du chasseur à l'affût qui perd de vue son gibier, au bout de la ligne de mire.

— Une fille, reprit l'ancien berger de sa voix étrange qui n'en finissait pas de vibrer dans son énorme poitrine, une grande et belle fille, sûr. On s'est trouvé nez à nez tous les deux, aussi couillons l'un que l'autre, parole. Mais je l'ai perdue aussi vite, elle a remonté vers le château, moi vers la charrette, voilà. Chacun son affaire, quoi.

Les mains du brigadier tremblaient d'impatience. Il réussit néanmoins à se taire. La moindre parole eût sans doute rompu le fil fragile qui, pour un moment, liait entre elles les images secrètes que le messager semblait suivre, de ses yeux presque éteints.

— Vous n'avez pas rêvé, Mathurin? demanda-t-il enfin de sa voix de fonctionnaire, un peu nasale, adroit compromis entre l'accent militaire et le bredouillement de l'homme de loi.

Mais le voiturier était déjà trop ivre pour que l'impressionnât ce vouvoiement insolite. Tandis que le gendarme lui donnait lecture du procès-verbal, il s'endormit, ouvrit seulement les yeux pour signer — une signature que le brigadier s'étonna de trouver correcte. Peu de gens, même à Mégère, savaient que l'ancien berger, bâtard d'un notaire du Velay, avait jadis fréquenté

l'école de Gap, jusqu'au jour où la banqueroute
paternelle et la disparition du failli, coïncidant
avec les premières atteintes de l'épilepsie,
l'avaient fait renvoyer au village.

— Brigadier, remarqua Pietri, tandis qu'il
regonflait le pneu de sa bicyclette, le juge a du
flair. Deux heures après la découverte du crime,
je l'ai entendu dire au docteur : « Il doit y avoir
une femme là-dessous. »

— Vous parlez sans connaître, répliqua le
brigadier, tout enflé de la nouvelle qu'il brûlait
d'apprendre à son chef. C'était une supposition,
une rigolade. Et savez-vous seulement pourquoi
il disait ça au docteur, le juge? Avez-vous réfléchi au pourquoi de la chose?

— Ça se pourrait, fit le Corse vexé. Paraît
que le particulier, tout moribond qu'il est, avec
sa balle dans la colonne vertébrale et le poumon,
se met à gigoter chaque fois qu'il voit un
jupon. Moi, que voulez-vous, en un sens, je
trouve l'idée bête. Un type fait par un autre
gars devrait danser à la vue d'une culotte, alors?
Des blagues. On ne sait pas ce qui se passe dans
la tête d'un agonisant.

— N'empêche que... La déposition que vous
venez d'entendre...

— Oui. Compris. Seulement votre Mathurin,
permettez, je le crois plus vicieux qu'il n'en a
l'air. Une supposition qu'il se rétracte? Il dira
qu'il avait bu, par exemple, qu'on l'a saoulé.
C'est un de ces idiots dont on ne se méfie point,

mais qui aiment rien tant que se faire valoir,
des vrais charlatans — le haut mal veut ça. Je
cause de ce que je sais. La montagne, chez nous,
est pleine de ces oiseaux-là. Ils ont le goût de
nuire.

Le brigadier affectait de ne pas entendre, bien
qu'il ne perdît pas une syllabe de ces paroles
perfides. Une nouvelle déception devait d'ailleurs bientôt s'ajouter à la première. La patronne des Quatre-Tilleuls — seule auberge du
village — lui apprit que le juge d'instruction
était parti pour le presbytère, et qu'il priait
qu'on ne le dérangeât sous aucun prétexte. Il
serait de retour à l'heure du dîner.

— Vous savez la nouvelle? interrogea-t-elle
d'un air innocent. Vous savez qu'on a retrouvé
le revolver? L'arme du crime, quoi. Juste sous
la fenêtre du cabinet, à croire qu'on l'a jetée
de là-haut, exprès.

— Bah! dit Pietri venant au secours de son
chef, probable que le type l'aura pris des mains
de la vieille dame, arraché...

— Vous parlez encore une fois sans connaître,
fit le brigadier blême de colère. A l'arrivée des
premiers témoins, les persiennes étaient closes,
la barre mise. Drôle de fantaisie qu'il aurait eue
de fermer le volet avant de déguerpir — et
presque tout nu, encore! Dans une affaire,
voyez-vous, gendarme, s'agit d'abord de voir
clair dans le jeu des autres. Mon idée, c'est que
le revolver était loin, et qu'il n'est pas revenu

tout seul. Là-dessus, commencez votre rapport,
je vais aller réfléchir sur la route en attendant
le juge.

Le docteur de Mégère sortait du presbytère
lorsque le juge y entra. Les deux hommes s'arrêtèrent un moment sous la ridicule tonnelle,
parlant à voix basse. L'ombre de Mlle Céleste
parut à travers les rideaux.

— Malade?

— Plus qu'il ne le croit, sans doute. Ne le
fatiguez pas trop, cher ami. Il suffit que vous
soyez prévenu.

Le docteur ne songeait plus à cacher sa sympathie pour le petit juge, auquel il trouvait,
selon son expression, un accent balzacien. Il le
comparait à son célèbre confrère de la *Comédie
humaine.*

— Oh! protesta Frescheville, une simple visite
de politesse, d'amitié. Je l'épargnerai le plus
possible. Et même...

— Je crains qu'il ne s'épargne guère, lui.
Quelle attachante nature! Voyez-vous, mon cher
Frescheville, on nous prend volontiers pour des
brutes, nous autres, carabins, parce que notre
expérience, nos méthodes, notre formation cli-
nique nous disposent peu aux illusions. Voulez-
vous faire quelques pas avec moi sur la route?

— Je crains que les événements d'hier n'aient
dangereusement agi sur ses nerfs. Mettez-vous à
sa place, que diable! Et puis...

Le rond visage du petit juge parut, en un
éclair, se couvrir d'une infinité de rides concen-
triques autour du nez balzacien, froncé par une
attention profonde.

— Je me demande si, d'une manière ou
d'une autre — simple supposition, absolument gratuite, vous m'entendez, — le crime ne
pose pas pour lui une grave question de
conscience.

— L'idée m'est venue aussi...

— Curieux, dit simplement le docteur de
Mégère, redevenu laconique.

— Je ne vous cache rien, protesta le juge.
J'estime autant que vous le caractère de
M. l'abbé Dufy, et nous savons comme lui, vous
et moi, l'importance du secret professionnel. Je
parlais d'une impression, voilà tout. Elle est
d'ailleurs si vague, si confuse que je m'en voudrais de tenter quoi que ce soit qui puisse risquer de compromettre gravement...

— Oh! ne prenez pas mes réserves au tragique, ce prêtre n'a rien d'une femmelette, au
contraire. Et d'ailleurs, je ne l'ai pas examiné :
le pouls m'inquiète, son regard est d'un grand
nerveux, voilà tout. Je crois d'ailleurs qu'il
abuse un peu du gardénal. Comme chez beaucoup de ses pareils — je veux dire des prêtres-
nés — la part féminine est chez lui très forte,
observez son visage. Car je ne fais allusion
qu'au physique, évidemment. C'est un mystique
de la grande espèce, raisonnable et passionné.

Pour moi, il ne moisira pas à Mégère, mais il y réussira très bien. Il réussirait partout. Vous allez le voir entre sa vieille servante et un étonnant petit enfant de chœur, déjà visiblement jaloux l'un de l'autre. C'est très curieux.

Il lui serra la main et disparut dans le soir tombant.

Au bruit de la porte, le curé de Mégère ne leva pas la tête. Ses yeux clos, ses joues creuses, le pincement bizarre de ses lèvres lui faisaient un masque si tragique que le juge délibéra un moment de quitter la salle sur la pointe des pieds comme il y était entré, car il le croyait endormi. Au premier pas en arrière, et à sa grande surprise, la main du prêtre sortit de l'ample pèlerine où elle était blottie et lui fit un signe presque amical. Alors le juge crut s'apercevoir, au mouvement des lèvres, qu'il priait.

— Je m'excuse... commença-t-il.

Mais le curé de Mégère ne l'écoutait pas. Il fixait maintenant la flamme dansante du foyer avec un regard douloureux, comme s'il pesait d'avance ses paroles et qu'il les jugeât décisives, irréparables.

— Je suis content que vous soyez venu, fit-il enfin d'une voix sombre. J'avoue que je n'en puis plus.

De ses yeux, il montra la porte au petit clergeon qui s'éloigna.

— Monsieur, reprit-il après un long silence, croyez-vous en Dieu?

— Certes! se récria le petit juge. Les hommes me dégoûtent trop. Le monde a besoin d'un alibi.

— Ne plaisantez pas, dit le prêtre avec lassitude. Il m'en coûterait trop d'aborder avec vous certaine question si... Mais votre réponse, bien que peu convenable, me suffit. Je vous sais sincère.

Il ramena frileusement les pans de son manteau sur ses genoux.

— Monsieur, vous avez devant vous un homme malheureux. Je suis dépositaire d'un secret. Une part de ce secret m'appartient — j'entends par là que je puis en disposer dans l'intérêt de la justice et surtout dans celui d'une pauvre âme tourmentée. L'autre part, j'en devrai compte à Dieu, du premier au dernier mot.

— Vous êtes absolument libre de...

— Non, je ne suis pas libre, interrompit sèchement le curé de Mégère. Si je l'étais, je ne vous aurais certes pas reçu.

— Rien ne presse, monsieur l'abbé. L'enquête suit son cours. Il est facile d'attendre que votre santé...

— Ma santé, fit le prêtre amèrement. Ma santé n'importe pas du tout. Ou du moins il sera temps d'y songer plus tard... Ma santé!

Ses yeux parurent reculer dans leurs orbites,

et tout son visage prit une expression d'ironie insupportable qui frappa le petit juge.

— Hé, hé, bégaya-t-il, sans réussir à éviter le regard qui cherchait tout à coup le sien avec la malice et l'obstination de quelque insecte malfaisant, la santé... heu... heu...

— C'est un mot qui m'écœure, poursuivit le prêtre sur le même ton. Cela remplit la bouche comme tous les mots que les hommes ont inventés pour essayer de se donner entre eux l'illusion de la sécurité. La sécurité! Leur sécurité! Disons simplement la sécurité de leurs ventres.

— Vous êtes dur, dit le petit juge stupéfait de ce brusque changement, et il semblait suivre avec beaucoup d'attention, du bout de sa bottine, les dessins du tapis, effacés par l'usure.

— Il n'y a pas de sécurité, reprit le curé de Mégère avec une exaltation croissante et en s'efforçant d'ailleurs de ne pas hausser la voix qui prenait dans les notes hautes une sonorité désagréable.

— Pour les hommes supérieurs, soit, objecta le juge poliment. Les hommes ordinaires...

— Il n'y a pas d'hommes ordinaires. Car ceux qu'on appelle ainsi...

Son regard s'était emparé de celui de son interlocuteur et ne le lâchait plus.

— Oui, monsieur, ils n'ont dans la bouche que les mots de raison, de bon sens, ils ressemblent à ces navigateurs égarés qui désignent du doigt sur la carte une route imaginaire

qu'ils ont depuis longtemps quittée à leur insu.
Pauvres gens! Leur vie ne reste pas plus longtemps dans le normal que le balancier en mouvement au point mort. Raisonnables ou non, ils
finissent toujours par tomber en pleine extravagance, bien que par des voies très différentes.
Les uns par timidité, d'autres par imprudence
et hardiesse, car leurs folies sont aussi diverses
que leurs visages, il n'y a pas deux folies
pareilles dans le monde. Il arrive parfois...

Les mots se pressaient si vite dans sa gorge
qu'il ne réussissait plus à en articuler chaque
syllabe, et pourtant sa voix restait basse et
presque douce. Ce contraste avait quelque chose
de sinistre.

— Il arrive parfois... oui, on est parfois tout
prêt... enfin, qui de nous n'a été tenté d'en finir
d'un seul coup avec cette sécurité imbécile? On
voudrait leur ouvrir les yeux, coûte que coûte.
Les mensonges les plus grossiers...

Les yeux du petit homme s'étaient fermés
peu à peu. La tête inclinée sur l'épaule, il semblait dormir, et son visage était si immobile
que l'imperceptible frémissement d'un muscle,
à la racine du nez, y apparaissait ainsi qu'un
signe extraordinaire. Le prêtre se tut.

— Je vous demande pardon, fit le juge,
comme s'il sortait d'un songe, je vous suivais
très attentivement. J'ai bien souvent pensé
moi-même...

Il n'acheva pas. Son regard gris entre ses cils

mi-clos, frappés de biais par la lumière, fit rapidement le tour de la pièce, se fixa un instant sur la porte.

— Vous désirez me parler de Mme Louise, dit-il enfin. C'est une bien singulière personne, un type assez balzacien...

— Vous êtes un homme fin, soupira le curé de Mégère, — lui aussi semblait sortir d'un rêve — fin et subtil. C'est pourquoi je ne ruserai pas avec vous. Je vous demanderai seulement de m'éviter ultérieurement tout contact, du moins direct, avec la police et les enquêteurs.

— Mon devoir..., commença le juge.

— Si, monsieur, vous me l'épargnerez. Qui sait si les renseignements dont je dispose — dont je disposerai bientôt peut-être — ne vous permettront pas de clore une instruction qui semble vous promettre — de votre propre aveu — plus d'un mécompte...

— Plus de mécomptes que de plaisir, soit!... Je vous entends... Nous parlons d'ailleurs en amis...

— Voyez-vous, monsieur le juge, reprit le prêtre avec une vivacité soudaine, en poursuivant en moi quelque secret, vous courez après une ombre. Le peu que je sais suffit : le problème posé à ma conscience sacerdotale n'est douloureux que pour moi. Que me veut-on? Oui, que veut-on que je sache d'un crime commis dans un pays inconnu de moi, sur une malheureuse personne dont, il y a deux se-

maines, j'ignorais jusqu'à l'existence? La victime est morte. Un autre juge que vous a reçu
l'aveu du criminel et, je l'espère, son repentir.
Le mal commis est donc irréparable, et la so-
ciété ne saurait même plus s'en venger sur son
auteur. Alors? J'aurais cru que la justice clas-
sait rapidement ces sortes d'affaires.

— Je voudrais que le problème fût aussi
simple...

— Evidemment, il ne l'est plus, si l'on sort
du domaine des faits pour entrer dans celui des
mobiles que nous appelons, nous, les intentions.
Et ce domaine est pratiquement illimité.

— Justement. Voyez-vous, reprit le magistrat,
nous savons réellement très peu de chose sur les
différentes personnes mêlées à ce drame, en
apparence banal. On ignore trop, dans le public,
quelles difficultés nous rencontrons, dès qu'il
s'agit de rassembler sur tel et tel les renseignements nécessaires pour dégager l'individu réel,
concret, de cette apparence sociale qui peut
varier si curieusement aux diverses époques de
la vie. On enseigne que le corps humain se
renouvelle tout entier, jusqu'à la dernière cel-
lule, en une dizaine d'années. Il ne faut pas
un délai plus long pour changer socialement de
peau. Ainsi le monde est plein de vieux hommes
ou de vieilles femmes dont le passé *ne se
remonte pas*. Les registres d'état civil ou les
études notariales fournissent bien quelques
points de repère, mais que valent-ils pour per-

mettre d'apprécier certaines existences trop longues, et dont tous les témoins sont morts?... Hé bien, il y a dans cette affaire pas mal de gens peu... peu déchiffrables. La victime d'abord. Cette dame de Mégère, ici, n'est-ce pas, elle faisait déjà comme partie du paysage. On ne la voyait même pas vieillir; les très vieilles gens ne vieillissent plus. Il faut un peu de réflexion pour l'imaginer ailleurs... au Caire, par exemple, où elle habitait encore il y a douze ans... Un peu plus tôt, je dois dire, on l'aurait trouvée à Auteuil, dans une pension de famille très chic... Un peu plus tôt encore, à Vence. Et savez-vous en quel endroit de la terre elle a dû apprendre la première nouvelle de la déclaration de guerre de 1914? A Ceylan, cher ami. Des palaces, oui! Des pensions de famille tant qu'on voudra, mais de famille point... L'héritière est une arrière-petite-nièce du mari.

— Quelle héritière? demanda le curé d'une voix où se trahissait un peu d'impatience, dissimulée par politesse.

— L'héritière est une demoiselle de Châteauroux — rien d'intéressant de ce côté-là —, une brave fille dévote, qui vit en recluse, une personne inoffensive.

— Les vieilles filles dévotes sont rarement inoffensives, dit le curé de Mégève d'un air las.

Et aussitôt il corrigea d'un sourire.

— Oh! soyez tranquille, nous n'avons rien négligé, répliqua le petit juge sur le même ton.

La demoiselle n'a pas quitté Châteauroux
depuis des mois... Et vous en serez quitte, cher
ami, pour un jugement téméraire — je crois
que c'est le mot?...

— Une plaisanterie téméraire, plutôt... Mais,
permettez, cette demoiselle ne me paraît pas
appartenir, elle, à l'espèce dont vous parliez
tout à l'heure, des vieillards migrateurs et mystérieux. Son passé ne doit pas être difficile à
remonter.

— Son passé ne présente aucun intérêt. Mais
il y a aussi par là une inimitié entre les familles
dont la cause est bien obscure. La pauvre fille
n'a jamais été reçue, elle ne connaissait même
pas sa tante, et je ne vous cacherai pas qu'on la
disait déshéritée par avance. Monseigneur lui-
même... Mais cela est une autre histoire, et je
ne puis former un jugement sur des rapports
hâtifs, forcément incomplets ou même contradictoires... Je me défends de rien dramatiser.
Oh! sans doute, on croit volontiers que nous
voyons le drame partout, alors que la plupart de
nos expériences nous enseignent, au contraire,
un certain optimisme, oh! un optimisme à base
d'amertume, un optimisme sans illusion... Le
crime est rare; je veux dire le crime qualifié,
authentique, tombant sous le coup de la loi. Les
hommes se détruisent par des moyens qui leur
ressemblent, médiocres comme eux. Ils s'usent
sournoisement. Et les crimes d'usure, monsieur,
ça ne regarde pas les juges!...

Il passa sur ses lèvres, après un silence, sa langue rose et pointue.

— Reste cette Mme Louise, dit-il enfin.

Une seconde leurs yeux se cherchèrent, puis ils échangèrent ensemble un même regard, pareillement réfléchi, attentif.

— J'ai parlé à Mme Louise, en effet, dit brusquement le prêtre avec une simplicité déconcertante. J'aurais même souhaité, je l'avoue, n'attirer là-dessus l'attention de personne. N'importe. La surveillance qu'on exerce sur moi...

— Pardon! protesta le juge, écarlate.

— Pour avoir des avantages, elle a aussi ses risques. N'essayez pas d'abuser de mon inexpérience, reprit-il en haussant doucement les épaules, je ne suis pas si naïf. Votre intérêt et votre amitié auraient avantage à m'épargner en des matières si délicates. Car, enfin, les confidences que nous recevons, même en dehors du ministère proprement dit, ne sont tout de même pas des confidences comme les autres.

— Je voudrais que vous parliez plus clairement, dit le juge. Que désirez-vous? Que racontez-vous? Il ne m'est naturellement jamais venu à l'idée de vous garder à ma disposition.

— Sans doute. Et, de votre part, je n'attends que des procédés irréprochables, dignes de vous et de moi. Etes-vous aussi sûr de vos subordonnés? Certes, je ne doute pas d'obtenir de mes supérieurs, dans un délai plus ou moins

éloigné, un autre poste. Mais aussi longtemps
que leur volonté me tiendra dans celui-ci, je
dois défendre, même contre vous, la dignité d'un
ministère, hélas! déjà trop compromise par mon
inexpérience et mes étourderies. Toute surveillance exercée sur cette maison, sur ses abords,
sur les gens que j'y appelle, peut prendre, aux
yeux de mes paroissiens, un caractère fâcheux,
extrêmement fâcheux... C'est ainsi qu'il y a
vingt minutes à peine, comme je me penchais
à cette fenêtre en compagnie de M. le docteur,
nous avons pu apercevoir, par-dessus la haie...

— Mille pardons! Il s'agit d'un simple
malentendu. L'inspecteur Grignolles, arrivé
tout à l'heure de Grenoble, croyait me trouver
ici.

— Vous voyez vous-même...

— Mais je ne vois rien! fit le juge, de nouveau écarlate. Je répète qu'il s'agit d'un simple
malentendu.

— Alors, à quoi bon courir le risque de... Il
se renouvellerait certainement! Puis-je disposer
librement de deux jours, trois au plus?...

— Evidemment!

— Trois jours d'une liberté absolue, sans
réserves. En conscience, je ne puis vous garantir
qu'à ce prix un résultat favorable à la démarche
que je vais tenter. Car la moindre intervention
de vos collaborateurs la ferait échouer sûrement.
J'ajoute qu'un échec engagerait si gravement ma
liberté, mon honneur...

Il hésita.

— Cela briserait ma vie, conclut-il.

La petite tête du juge restait drôlement penchée sur l'épaule comme celle d'un oiseau. Et
le curé de Mégère ne distinguait d'elle, dans
l'ombre, qu'une oreille rose et lisse, attentive.

— Je ne demande que votre parole, mur-
mura-t-il à voix basse. Je ne désire pas être
espionné, voilà tout.

Une bûche croula dans les cendres.

Le juge se leva lentement, tapota de la main
ses genoux, étouffa un bâillement et dit en
haussant les épaules avec l'espèce de compassion
indulgente qu'on a pour un enfant capricieux,
ce sourire qui avait triomphé de l'obstination
de tant d'adversaires moins rusés.

— Je puis vous faire conduire jusqu'à la gare
de Pombasles dans ma voiture. Je pense que
votre intention est d'aller prendre les instruc-
tions de vos supérieurs à Grenoble.

— Oui, cela est aussi dans mes intentions.

— Bon, approuva le juge, poursuivant visiblement au fond de lui-même un raisonnement
mystérieux. La chose est simple. Quelle que soit
la marche de l'enquête, votre présence ici n'est
pas indispensable, et il m'est très facile de jus-
tifier une absence momentanée? Pourquoi vous
refuserais-je ce service? Entre nous, mon cher
curé, je préfère vous avoir pour ami que pour...

Il eut un rire forcé, presque aigu, et comme s'avisant trop tard de retenir une parole imprudente, s'écria en rougissant légèrement :

— Vous êtes réellement extraordinaire! Le prêtre le plus extraordinaire que j'aie jamais vu.

— Hélas! soupira le curé de Mégère, expliquez-vous.

— Mon Dieu, à peine serais-je capable d'expliquer à moi-même, d'analyser... une... une impression très complexe — il répéta deux fois ce mot avec une satisfaction très visible. Et tenez, par exemple... Oh! peu de chose sans doute, un détail — mais enfin j'ai quelque expérience du visage humain... une expérience professionnelle, oserais-je dire. Hé bien, il y a dans les traits du vôtre un tel contraste qu'en vérité... Allons! je dois vous faire en ce moment l'effet d'un imbécile.

— Non, répliqua gravement le prêtre. Je crois simplement que ce contraste est dans votre esprit.

— Peut-être... Et néanmoins une telle jeunesse des traits, une expression — excusez-moi — presque enfantine alors que... Voyons, même au séminaire on a dû vous dire quelque chose de votre extraordinaire ascendant? Un prêtre de votre âge n'a pas d'habitude cette assurance profonde qui... On croirait que vous avez longtemps vécu.

— J'ai souffert, monsieur, cela revient sans

doute au même. Mais rassurez-vous! Ni au séminaire, ni ailleurs, personne ne s'en est jamais
soucié...

Il ramena frileusement les plis de son châle
sur sa poitrine et dit en souriant :

— Je crois que vous voulez surtout retarder
le plus possible une formalité désagréable. Vous
n'y échapperez pourtant pas. Ai-je votre parole,
oui ou non?

— Vous l'avez.

Du même pas, bien que raffermi, le curé de
Mégère s'éloigna de la fenêtre, reprit sa place
au coin du foyer. Sa figure impassible n'avait
d'autre mouvement que les reflets du foyer
demi-mort, qui en faisaient jouer les ombres. Et
l'expression de ce visage était plutôt celui de la
fatigue et de l'ennui.

— Vous l'avez, reprit le juge. Vous l'avez,
telle que vous me l'avez demandée, sans condi-
tion d'aucune sorte. Avouez maintenant que ma
curiosité... Il m'est difficile de ne pas voir plus
qu'une coïncidence fortuite entre le désir
auquel je viens de me rendre et... votre entretien avec...

— Avec Mme Louise? Vous ne vous trompez
pas. Et retenez encore ceci, monsieur. Je ne suis
qu'un prêtre sans expérience, mais je sais ce
dont je parle, et je pèse mes mots. Quoi qu'il
arrive, je vous donne ma parole, ma parole de
prêtre, que cette personne est non seulement
irréprochable, cela va de soi, mais que ma res-

ponsabilité se trouve gravement engagée à son égard. Nul ne peut la délier que moi d'un engagement que je lui ai fait prendre. Vous commettriez une cruauté en cherchant à lui arracher un secret qui d'ailleurs serait, pour l'instant, et hors de ma présence, absolument inutile à l'enquête. Cela aussi, je vous l'affirme, sur mon honneur sacerdotal.

— Etes-vous bon appréciateur en pareille matière? fit le magistrat, en soupirant.

— L'avenir vous le démontrera bientôt, reprit le prêtre avec une autorité soudaine. Qu'avez-vous à craindre de moi? Que pourrait contre la justice un malheureux curé soumis à une discipline stricte, et que la plus légère extravagance perdrait aux yeux de ses supérieurs? Ne pouvez-vous courir le risque d'un retard de quelques jours dans une enquête que vous conduirez d'ailleurs, en attendant, comme il vous plaira, si je m'affirme capable, avec un peu de chance et l'aide de Dieu, d'apporter une lumière complète, totale sur une affaire, d'ailleurs beaucoup moins obscure que vous ne pensez? Car, j'ai encore une requête à vous présenter. Peut-être, au cours de mon absence, me verrai-je dans l'obligation d'appeler auprès de moi — oh! pour un délai bien court, vingt-quatre heures suffiront sans doute — Mme Louise. La laisserez-vous me rejoindre, dans les mêmes conditions que je vais partir moi-même, c'est-à-dire absolument libre de toute surveillance?

Le juge s'agitait sur sa chaise, avec une impatience croissante.

— Ecoutez, mon cher ami, dit-il tout à coup et comme n'y tenant plus, vous êtes libre de ne pas parler, mais vous avez tort de jouer avec moi aux propos interrompus. Allons donc! je ne suis pas un enfant! Et encore un enfant s'apercevrait que vous en savez plus long que vous ne voulez en avoir l'air, car je ne puis croire que vous vous amusiez à m'intriguer, pour rien... pour le plaisir. Après tout, il s'agit d'une affaire sérieuse, que diable! Oh! je rends hommage à la correction de votre attitude. Dans des circonstances pareilles un prêtre de votre âge aurait pu aisément s'affoler. Mais — pardonnez-moi — vous m'étiez hier encore totalement inconnu. Il ne vous a pas fallu dix minutes pour gagner ma confiance, à ma grande surprise d'ailleurs, car je ne la donne pas aisément d'habitude. Et depuis quelque temps — disons depuis un événement que j'ignore, mais que je crois deviner — vos hésitations, vos réticences... Bref, il semble que ma confiance vous gêne, que vous vous efforcez de la décevoir, de la blesser, de la lasser.

— Quel événement? demanda le curé de Mégère.

— Que sais-je?... L'aveu de Mme Louise, par exemple.

Le visage du prêtre ne montra aucune surprise, mais seulement une réelle souffrance.

— Votre imagination travaille sur ce thème, dit-il avec un soupir. Qu'y puis-je? Mais vous oubliez que ces émotions m'ont horriblement fatigué. A la lettre, je ne tiens plus debout. Ce que vous prenez pour une attitude équivoque n'est qu'épuisement des nerfs, voilà tout.

— Il est trop facile de mettre au compte des nerfs... commença le juge sur le ton d'un écolier récitant sa leçon.

— Oh! ma conscience ne me fait aucun reproche, protesta le curé de Mégère, avec un pauvre sourire. Vous ne pouvez d'ailleurs comprendre ce que je sens. Vous avez une mission à remplir, vous servez la justice, votre justice, que vous importe! Hélas! il ne m'est pas même permis de vous envier. Je suis hors de jeu, et tout indigne représentant que je sois d'une justice supérieure à la vôtre, d'un pouvoir au-dessus de tous les pouvoirs, personnellement je ne puis rien, je suis aussi désarmé qu'un enfant. Je vous regarde seulement vous agiter autour de ces deux cadavres avec un frémissement de dégoût, une espèce d'horreur dont je ne suis pas maître. Que de choses j'ai apprises depuis quelques heures! Et par exemple, un crime, un meurtre, cela m'apparaissait jadis tellement plus simple! Une vie de plus ou de moins, alors que chaque minute en moissonne des milliers à travers le monde! Et maintenant...

Il s'était levé brusquement, mais sa haute

taille restait un peu courbée, et il s'appuyait d'une main au mur.

— Je vois maintenant que chaque crime crée autour de lui comme une sorte de tourbillon qui attire invinciblement vers son centre innocents et coupables, et dont personne ne saurait calculer à l'avance la force ni la durée. Oui, monsieur, reprit-il avec une agitation croissante, un geste à peine moins insignifiant qu'une chiquenaude déclenche une puissance mystérieuse qui roule dans le même remous, pêle-mêle, le criminel et ses juges, aussi longtemps qu'elle n'a pas épuisé sa violence, selon des lois qui ne nous sont point connues. Et vous... Et vous...

Il balbutia les derniers mots dans une sorte de râle, glissa sur les genoux, battant l'air de ses bras. Son front sonna contre le mur.

Au lieu d'intervenir, le juge d'instruction resta un moment immobile portant son regard avec une rapidité extraordinaire aux quatre coins de la chambre, puis il le ramena sur le corps inerte étendu à ses pieds. Son hésitation ne dura qu'une seconde, mais la curiosité à son paroxysme marqua tous ses traits jusqu'à faire de ce visage poupin, le temps d'un éclair, une sorte de masque grimaçant. L'arrivée de Mme Céleste, brisant brusquement sa terrible tension nerveuse, le fit chanceler comme un homme ivre.

Déjà le prêtre ouvrait les yeux. Puis il se remit lui-même debout.

— Je vous demande pardon, fit-il en souriant.

Je suis sujet à ces sortes de crises. Le mieux, sans doute, est de me mettre au lit.

— J'ai abusé de vos forces, protesta le juge, c'est à moi de vous demander pardon.

Il fit en même temps, et probablement à son insu, le geste de quelqu'un qui remet à plus tard une besogne urgente, se détourne à regret de l'occasion perdue. Mais l'occasion perdue ne se retrouverait plus. Il ne devait jamais revoir le curé de Mégère.

DEUXIÈME PARTIE

I

L'UNIQUE hôtel de Mégère emprunte son nom
aux vieux arbres rangés devant sa façade, et dont
les branches, savamment taillées, s'enchevêtrent
pour lui faire, la saison venue, un bizarre mur
de feuillage, hissé sur quatre troncs d'un vert
pâle et, même au cœur de l'été, comme hivernal.
D'ailleurs l'hôtel des Quatre-Tilleuls n'a guère
d'hôtel que le nom. Mme Simplice et ses deux
filles quinquagénaires donnent tous leurs soins
au beau magasin d'épicerie qu'elles tinrent jadis
des libéralités d'un très vieux monsieur, notaire
révoqué disait-on, et que les anciens du pays se
souviennent d'avoir rencontré bien des fois, tor-
du plus qu'un cep dans sa longue redingote de
drap soyeux, les mains crispées à deux cannes
jumelles au bec d'ivoire, mais l'œil vif, la bouche
nerveuse toujours humide, aussi vermeille que

celle d'un petit enfant, et comme flamboyante
dans un visage mort. En prenant de l'âge,
Mme Simplice a fini par ressembler à cet octogénaire suspect, depuis longtemps sous la terre.

Les trois femmes, dont l'avarice est fameuse,
occupaient bourgeoisement jadis toute la maison que la sollicitude notariale avait garnie d'un
grand nombre d'armoires à glace en palissandre
et de meubles d'acajou massif, couverts de reps.
L'avarice, ainsi qu'un jeune animal encore in-
conscient de sa force et de son appétit, grandit
d'abord paisiblement là même où elle était née
— la pièce fraîche, obscure, presque tout entière
remplie par un coffre-fort aux flancs énormes.
Puis elle en était sortie un jour, faisant reculer
devant elle pas à pas, ses trois victimes réduites
aujourd'hui à la possession d'une cuisine et de
deux cabinets sans fenêtres. Les chambres du premier étage, desservies par un étroit couloir, sont
louées à une clientèle de passage, composée surtout de placiers lyonnais.

La chambre de M. le juge d'instruction est
la plus vaste. Elle se trouve malheureusement
juste au-dessus du magasin, et les tapis, la ten-
ture, la muraille même sont imprégnés de cette
odeur rance et miellée, indéfinissable, écœurante,
des épiceries de campagne. De plus — car ces
demoiselles débitent aussi du genièvre en cachette — dès cinq heures du matin, la porte bat
sans cesse. Puis tombent brusquement, de l'église
toute proche, les rafales de l'Angélus. Quand le

dernier coup finit de rouler à travers la vallée
son tonnerre, le ciel tremble encore et met longtemps à s'apaiser.

Néanmoins M. le juge s'attarde un peu ce
matin sous l'édredon d'andrinople dont le discret parfum lui rappelle son enfance. Il a plu
toute la nuit et l'eau fume encore au flanc de
toutes les pentes, pompée par le soleil. La journée qui commence sera belle. Celle d'hier
compte parmi les plus lugubres de sa vie. La
mauvaise volonté du procureur complique à plaisir les choses les plus simples et l'enquête à peine
commencée ressemble à un feu qui va s'éteindre.
Elle s'étouffe, comme disent les policiers dans
leur jargon. Sans doute le moindre petit fait heureux lui donnerait de l'air, on la verrait flamber
de nouveau... Mais rien. Il ne se passe rien. Le
village lui-même, un moment tiré de sa torpeur,
se rendort. Pour tous, le crime a été commis par
un vagabond, un étranger, qui a joué sa chance,
un contre dix, et a gagné par miracle, du premier coup. Personne ne se sent sous le coup
d'une inculpation possible, l'affaire semble déjà
classée. Si seulement...

Quelques heures ont suffi pour mettre
Mme Louise hors de cause. Le coup terrible qui
a brisé l'échine de la dame de Mégère n'a pas
été porté par un manchot... Une femme peut-
être, mais assurément une femme dans la force
de l'âge et certainement exaltée par la haine ou

par tout autre sentiment d'une égale violence. Ni l'ancienne religieuse, ni la servante ne sauraient être soupçonnées.

L'inconnu, lui, est mort hier, au coucher du soleil. Il n'aura survécu qu'un petit nombre d'heures à son crime. L'a-t-il commis, en effet?... Le spécialiste venu de Grenoble n'a pas achevé l'examen des empreintes recueillies dans la chambre du meurtre mais se dit déjà en mesure d'affirmer qu'il n'a relevé nulle part celles du mystérieux vagabond. Pis encore : les fiches de l'identité judiciaire semblent ne devoir rien révéler non plus de certain.

Etrange vagabond! Son visage, avec celui du curé de Mégère, ne cesse de hanter le juge, et ils sont revenus vingt fois, cette nuit, dans ses rêves. Obsession d'ailleurs trop naturelle. Le petit juge a vu l'homme mourir — ce visage entrer lentement dans les ténèbres, surgir un moment de leurs profondeurs, puis glisser de nouveau, s'effacer... Personne que lui n'a prêté beaucoup d'attention à une agonie en somme si douce, si tranquille, une véritable agonie de chemineau qui passe d'un somme à l'autre, épuisé, au revers d'un talus, par une aube froide et limpide d'hiver, éclatante, impitoyable. Le sordide ameublement de la salle de mairie où on l'avait déposé, avec ses banquettes de velours grenat tout crevé, perdant leur crin végétal par maintes blessures, faisait un décor inattendu, dérisoire. Sacrée lumière électrique sur cette face jeune et déjà usée!

La pluie battait aux vitres, le crépuscule tombait du ciel comme une cendre, les rares devantures s'allumaient une à une... Les misérables ne meurent d'habitude qu'au petit jour.

Oui, certes, l'étrange vagabond! En prévision du transport à l'hôpital, on l'avait affublé d'une chemise de grosse toile, formée dans le dos par une ganse. Les mains, qu'il tenait croisées sur son ventre, gardaient, bien que grossières, quelque chose de l'enfance, on ne sait quelle gaucherie, quelle candeur... Le petit juge se vante volontiers de déchiffrer une main comme un visage. Ce n'étaient pas des mains d'assassin.

Les traits, aussi, gardaient leur secret, l'auront gardé jusqu'à la fin. Ceux d'un paysan, c'est sûr, non pas d'un vagabond des faubourgs, d'un batteur de pavés. Impossible d'examiner les yeux, car on avait beau tirer de force en haut les paupières, ils ne donnaient aucun regard... Mais la bouche, aussi, semblait honnête. Drôle de bouche! Les lèvres s'ouvraient et se fermaient sans cesse. En collant l'oreille tout auprès, on y surprenait une sorte de murmure très doux, tranquille, monotone, comme si elles continuaient de réciter une leçon dès longtemps apprise, familière. Difficile d'appeler ça un râle. Pauvres lèvres! Il est vrai qu'elles n'ont cessé de se couvrir d'une écume mêlée de terre car, en dépit des efforts du docteur, de l'agilité professionnelle de ses doigts, la gorge n'a pu être dégagée tout à fait de la boue qui l'obstruait. Encore une chose bien singulière! Comment ce blessé, trouvé couché sur le dos, et sans doute à la place même où l'avait atteint le coup mortel, a-t-il pu avaler tant de terre?

L'examen des vêtements, lui aussi, fait réfléchir. Les vagabonds se couvrent comme ils peuvent, soit. Mais ils se couvrent. En novembre, il est rare d'en rencontrer vêtus d'un pantalon, d'une chemise, d'un gilet de laine, et les pieds nus dans des chaussettes de coton. Evidemment le procureur — qui a des explications pour tout — suggère que l'assassin, mis au courant par hasard des habitudes de la dame de Mégère, a pu entrer en passant, sitôt le départ de Mme Louise et de la servante qui, chaque soir, à cinq heures, vont faire leurs emplettes au village et ne reviennent qu'à la nuit close. Une fois dans la place, possible qu'il ait quitté une partie de ses vêtements, ses chaussures?... Sans doute ignorait-il que la dame de Mégère fût sourde. Les chaussures d'un vagabond, même dépourvues de leurs semelles, ne sont pas faites pour traîner sur les dalles cirées, lisses comme la glace. Sans doute, sans doute... Mais pourquoi n'a-t-on retrouvé trace nulle part de la veste ni des chaussures? Pas même une simple casquette!.. Il faudrait faire curer le puits. Quarante mètres de profondeur et probablement cinq ou cinq pieds d'argile... Un joli travail!

L'ancienne religieuse n'a pas commis le crime,

soit. L'a-t-elle inspiré? Dans quel but? Un ancien
testament de la dame de Mégère assurait à sa
gouvernante une pension de dix mille francs par
an. De nouvelles dispositions portent cette
somme à quinze mille au cas où : « la sollici-
veille même du crime. Comment croire que la
tude de ma fidèle garde-malade me permettrait
d'atteindre l'âge de mon père — c'est-à-dire ma
quatre-vingt-septième année. » Ce codicille
n'était pas inconnu de Mme Louise, et sa maîtresse, par une coïncidence funèbre, venait de
fêter son quatre-vingt-cinquième anniversaire, la
gouvernante, d'ailleurs jusque-là irréprochable,
eût couru un tel risque pour le seul avantage de
perdre le bénéfice d'une mesure avantageuse?

En somme, une seule personne au monde doit
tirer profit du meurtre, l'héritière. Sur celle-ci
l'enquête n'a encore fourni que des renseignements un peu contradictoires, mais généralement
favorables ou même excellents. Mlle Evangéline Souricet, petite-nièce de la victime, habite
Châteauroux. Son père, ancien officier d'artil-
lerie coloniale, veuf depuis 1906, s'était, l'heure
de la retraite sonnée, fixé dans cette ville funèbre
où il avait mené douze ans une vie exemplaire.
Il passait pour le meilleur paroissien de l'église
Saint-Expédit où son zèle dévot l'avait élevé au
rang de marguillier. Membre, puis président de
la Conférence Saint-Vincent-de-Paul, auxiliaire
bénévole du curé, commensal du vieil arche-
vêque de Bourges, il avait trouvé dans sa fille

une collaboratrice passionnée. Devenue orpheline, elle parut, contre toute attente, et pour la
déception du diocèse, se désintéresser peu à peu
des œuvres, vécut dans sa petite maison de la
rue des Grainetiers une vie dont la discrète aus-
térité fit l'édification de toute la ville. Bien
qu'elle consentît encore à recevoir ou à rendre
quelques visites, on ne la vit plus guère qu'aux
offices de la Chapelle des Dames de la Repentance, voisine de sa demeure. Une amie était
venue d'ailleurs partager sa solitude et ses dévo-
tions.

Celle-ci passait pour sa nièce, bien que d'âge
sensiblement égal. De cette étrangère, Châteauroux s'était résigné à ne rien savoir, les deux
femmes ayant décidé très vite de renvoyer
l'unique servante, et vaquant désormais elles-
mêmes aux soins du ménage. On remarquait
néanmoins qu'elles montraient généralement,
l'une envers l'autre, malgré leur intimité frater-
nelle, une réserve presque excessive. Quelques
jeunes gens, plus persévérants ou plus naïfs que
leurs camarades, suivaient seuls encore du regard, à travers les tristes rues de la ville, la
mince silhouette de Mlle Evangéline, drapée de
noir, ou tâchaient de surprendre, sous l'épaisse
voilette toujours baissée, un visage que peu
d'entre eux pouvaient se vanter d'avoir vu en
pleine lumière, mais qu'on disait charmant.

Jamais la dame de Mégère n'avait accepté de
recevoir sa petite-nièce. Elle ne pardonnait pas,

disait-elle, au père « d'être devenu si tard une espèce de Jésuite, ayant d'ailleurs été toute sa vie, et en dépit de l'uniforme, un Nicodème ». Car la vieille châtelaine affectait volontiers des convictions voltairiennes, bien qu'elle continuât d'entretenir avec les curés du voisinage des relations qui ne semblaient pas seulement de pure courtoisie. Ne devait-on pas chercher une raison plus profonde, plus secrète, à un désaccord qui avait duré tant d'années? Le petit juge croyait voir encore devant lui le singulier visage de la morte, le creux de sa bouche mince, son indéfinissable sourire. Que savait-on, après tout, de l'octogénaire terminant au fond d'un village obscur une carrière sans doute aventureuse, et dont le regard, aujourd'hui éteint, s'était posé sur des horizons inconnus, là-bas, de l'autre côté de la terre? Pour quel motif n'avait-elle pas simplement déshérité une parente, en somme assez lointaine, fille d'un homme qu'elle semblait avoir haï?...

Le ciel s'était couvert de nouveau bien que par chaque brèche un moment ouverte au flanc des brumes, le soleil lançât un bref rayon oblique qui semblait courir d'une extrémité à l'autre de l'immense paysage, ainsi que l'éclair d'un phare. Alors une pluie rageuse crépitait comme une grêle sur les vitres, et s'éloignait avec lui.

De ces renseignements qu'il avait obtenus la veille de Châteauroux par téléphone, le juge se

sentait incapable de rien tirer. Presque insignifiants en apparence, ils obscurcissaient encore
une affaire déjà ténébreuse, lui apportaient il ne
savait quoi de trouble, de suspect. Impression
subjective, se répétait le magistrat. Mais il s'ir-
ritait de ne pouvoir se dégager tout à fait de
l'espèce de rumination monotone poursuivie
toute la nuit même en rêve. Quels rêves? Des
hypothèses — dont il n'avait d'ailleurs pas eu,
peut-être, claire conscience — des voix, des
visages qui avaient sûrement hanté son sommeil,
il n'avait rien retenu. Parfois, il est vrai, un souvenir semblait prêt à surgir, tremblait un moment comme au bord de la mémoire, puis s'en-
fonçait de nouveau, sans avoir pu réussir à fixer
en traits distincts, reconnaissables, ses confuses
vapeurs. Insoucieux du temps perdu, la tête
enfoncée sous les draps, le petit juge s'absorbait
dans cette recherche vaine, il y trouvait un
étrange plaisir. N'avait-il pas tenu le mot de
l'énigme alors que sa raison et sa volonté engour-
dies laissaient passer sans contrôle les imaginations les plus absurdes. Parmi celles-ci, une
seule... Une seule, peut-être — la vraie, l'authentique — et il l'avait laissée fuir, se perdre à
jamais!...

Cette pensée l'éveilla si brusquement qu'il se
retrouva tout à coup assis au bord du lit, jambes
pendantes, et les couvertures jetées en désordre
sur le plancher. A défaut du souvenir rebelle
un visage venait de lui apparaître avec une force,

une netteté incomparable : c'était celui du curé de Mégère.

Il haussa les épaules et commença distraitement sa toilette. Entre tant de personnages médiocres, le prêtre restait le seul dont il pût attendre quelque chose. Du moins semblait-il sincère. Un menteur cherche d'abord à donner l'impression qu'il ne laisse rien de lui-même dans l'ombre, qu'il se livre. L'extrême réserve de cet homme si jeune, si sensible, si peu maître, en somme, de ses nerfs, devait inspirer confiance à un professionnel depuis longtemps fixé sur la valeur de certaines protestations de franchise qui ne rassurent que les imbéciles. Nul doute que le curé de Mégère n'eût son opinion sur l'affaire... Laquelle? Nul doute encore qu'il gardât pour lui le secret de son entretien avec la gouvernante. Quel secret? Peut-être l'un de ceux qu'un prêtre ne saurait livrer sans forfaiture, qu'il ne livre jamais. Et d'ailleurs les scrupules d'une religieuse ne sont-ils pas le plus souvent puérils? A moins que...

La rumeur qui montait du magasin au travers du mince parquet, en même temps que l'agaçant grelottement de la sonnette à chaque entrée d'un nouveau client, s'enfla tout à coup et le magistrat, repoussant son blaireau, prêta l'oreille. Presque aussitôt l'escalier trembla sous un pas qu'il crut reconnaître. Il eut à peine le temps de courir à la porte et s'y trouva nez à nez avec le brigadier qui, s'arrêtant sur le seuil, porta deux doigts à son képi.

— Que se passe-t-il, Desbordes?

— Le curé — il se reprit — M. le curé vient de foutre le camp.

La voix dut porter jusqu'en bas et le petit juge reçut en plein visage une haleine un peu forte, barbouillée de genièvre et de tabac.

— Entrez d'abord, idiot!

Il se sentait ridicule, vêtu seulement d'un pantalon de pyjama que de nombreuses lessives avaient fait d'un bleu pâle, céleste.

— Vous pourriez vous dispenser d'ameuter le village, continua-t-il, furieux. Bonne ou mauvaise, cette nouvelle ne regarde que moi. D'ailleurs, M. le curé de Mégère a le droit d'aller et de venir comme il lui plaît, je suppose. Il n'est pas sous mandat d'arrêt, que je sache? De plus, je vous prie de garder pour vous vos expressions de corps de garde. On ne parle pas sur ce ton à un supérieur, mon ami.

Ce disant, il avait enfilé son veston, ses pantoufles. Le gendarme écoutait, bouche bée.

— L'absence, probablement momentanée, de ce témoin ne devrait pas vous faire perdre votre sang-froid, conclut-il, radouci. Expliquez-vous.

— Je ne crois pas outrepasser le mandat de mes fonctions, dit le brigadier sur un ton de reproche, en affirmant à Monsieur le juge que les circonstances de ce départ paraissent suspectes.

— Pourquoi suspectes?

— Je dois faire remarquer à Monsieur le juge que le... que M. le curé de Mégère gardait la chambre se disant malade.

— Se disant malade? M. le curé de Mégère a eu devant moi, hier, une syncope.

— Il a dispa... il s'est absenté sans avoir même prévenu Mme Céleste.

— A quelle heure?

— Impossible de le savoir exactement. La servante l'a vu pour la dernière fois dans la soirée, en lui portant de la tisane pour la nuit. Elle l'avait trouvé plutôt mal. Si mal qu'elle lui a offert de coucher. Il n'a pas voulu. Ce matin, porte close, personne. Elle a dû entrer par le bûcher. Puis elle est retournée chez elle. Le lit n'était même pas défait.

— Qui peut savoir si M. le curé n'est pas dans le village, à l'église? Ou simplement sorti pour un tour de promenade?

Le gendarme eut malgré lui le vague sourire de condescendance dont il accueillait chaque soir le rapport de ses hommes, et qu'ils appelaient entre eux — irrespectueusement — le sourire détective.

— Monsieur le juge doit comprendre que je ne l'aurais pas dérangé sans motif. Le curé n'est pas dans le village, sûr. De plus, il a emporté une petite valise que Mme Céleste avait rangée elle-même au fond d'un placard — oh! une valise de rien. Et enfin...

Il s'efforçait de donner à ses traits, par habitude professionnelle, un air d'attention défé-
rente comme si, soucieux seulement de rapporter exactement les faits, il attendait avec une
confiance aveugle les infaillibles déductions de
son supérieur. Mais l'impatience et une juste
fierté faisaient trembler sa grosse moustache.

— Faut d'abord vous dire que Mme Céleste,
hier soir, l'a laissé en conversation avec le petit
Gaspard, l'enfant de chœur. Aussi l'idée m'est
venue, naturellement, d'aller me renseigner
auprès de ce jeune homme. Je me suis donc
rendu à son domicile, ou plutôt à celui de sa
tante, et j'ai eu la surprise d'apprendre que le
garçon, sorti la veille passé huit heures, n'était
pas rentré ce matin. Il est parti avec sa bicyclette.

En dépit de ses efforts, la curiosité du petit
juge se marquait à ce signe qu'il oubliait d'essuyer ses joues où la mousse de savon soulignait
chaque ligne d'un trait grisâtre.

— Ecoutez, mon ami, reprit-il enfin, la chose
peut être intéressante. Elle l'est sans doute moins
que vous le pensez. Soit dit pour votre gou-
verne, M. le curé a ses raisons de s'absenter : il
devait même quitter Mégère aujourd'hui ou
demain, je le savais. Au point où nous en
sommes, d'ailleurs, je crois inutile, dangereux
même, d'échauffer les imaginations. Cela crée du
désordre dans les esprits, les langues iront leur
train, nous nous perdrons en bavardages. Faites-

moi donc le plaisir de prendre en descendant,
au comptoir des demoiselles Simplice, un nouveau verre de genièvre, le dernier. Vous trouverez bien le moyen de glisser une phrase apai-
sante, n'importe quoi, je me fie à votre jugement.
Quand le gosse sera revenu, nous tirerons la
chose au clair...

Il s'habilla rapidement, ouvrit la fenêtre, s'y
accouda, pensif. La clientèle matinale désertait
peu à peu l'épicerie, et l'une des sœurs, un pan
de cotillon passé dans la ceinture, faisait à grands
seaux d'eau claire la toilette de la devanture.
Au-dessous de lui, la place minuscule, avec ses
arbres rabougris, son vieux banc de pierre et
les quatre marches du monument aux Morts,
formait un tableau paisible et si familier que
le magistrat croyait le reconnaître, l'associait
malgré lui à de vagues souvenirs d'enfance.
L'image du curé de Mégère, elle aussi, semblait
monter des profondeurs de sa mémoire. L'image
tout entière, ou quelque singularité du regard,
de la voix, du geste?... Impossible d'évoquer la
personne même du prêtre sans qu'une ombre
s'y ajoutât sur-le-champ, presque exactement
superposable, et néanmoins distincte — trop
vague, hélas! Dès la première minute, le petit
juge avait souffert de ce malaise bizarre, mais
il venait seulement de s'en expliquer la cause.
Quelle que fût sa sympathie pour cet homme
étrange, une part de son être lui échappait toujours, au point que leurs conversations mêmes

ne lui laissaient qu'une impression confuse,
comme si entre les demandes et les réponses, un
témoin invisible s'était glissé sans cesse, poursuivant, pour lui seul, un monologue mystérieux.
Aussi ne réussissait-il déjà plus à éprouver
aucune surprise, aucun dépit de cette disparition
soudaine. La sottise eût été de croire que le
curé de Mégère poursuivrait longtemps avec lui
une route commune, ou seulement parallèle. Et
d'ailleurs le curé de Mégère suivait-il aucune
route, commune ou non?

Il essaya son chapeau devant la glace, le jeta
rageusement sur le lit, se coiffa d'un béret
basque, sortit. L'air lui parut d'abord exagéré-
ment doux, écœurant, puis l'humidité le saisit
tout à coup et avant qu'il eût atteint l'extrémité
de la place il se sentit glacé jusqu'aux moelles.

L'idée lui était venue brusquement de gagner
le presbytère par un chemin remarqué la veille
et qui d'ailleurs sans issue aboutit à un terrain
vague que les villageois nomment encore « le
Marais » bien qu'il n'y subsiste, de l'ancien
étang disparu, qu'une mare boueuse à peine
visible sous l'amas de feuilles mortes. Du point
le plus élevé le regard peut plonger dans le petit
jardin de la cure, clos seulement d'une haie jadis
assez épaisse, mais que le bétail a crevée en
maints endroits et si maltraitée qu'on a dû la
renforcer d'un double treillage de fils de fer. La
maison, il est vrai, reste presque tout entière

invisible derrière son maigre massif de lauriers,
et même en se tenant le plus exactement possible dans l'axe de la grande allée, on ne dis-
tingue guère que la porte principale, et son ridicule perron.

Le juge resta longtemps immobile, les yeux
fixés sur les marches. Assurément le presbytère
était vide, et Mme Céleste n'en eût pu refuser
les clefs, mais il était dangereux de compter sur
la discrétion de la vieille servante, et une visite
officielle, justifiant les pires soupçons, risquerait
de compromettre irréparablement le curé de
Mégère. « Pourquoi traiter en suspect un homme
qui m'a prêté jusqu'ici tout le concours dont il
était capable — pensait le magistrat. Je n'en
obtiendrai rien par violence. » Mais un autre
scrupule le retenait encore, auquel il n'aurait su
donner un nom.

Il passa une jambe par-dessus la haie
et se sentit aussitôt trempé jusqu'au ventre.
L'eau ruisselait des branches et l'effort qu'il
fit pour les écarter ne réussit qu'à glacer ses
bras, sa poitrine. Rageusement il sauta dans
le verger, où ses deux pieds, en se posant, firent
gicler la boue à la hauteur de ses hanches. La
maison lui apparaissait maintenant tout entière
et si proche qu'il crut rêver. Avec ses étroites
plates-bandes bordées de buis, ses allées minuscules, les poiriers galeux taillés en quenouille,
le jardin semblait dessiné en trompe-l'œil par
quelque rapin facétieux. Une bêche oubliée

dont le fer luisait encore sous la pluie, paraissait presque énorme. Le petit juge la ramassa
d'un geste machinal, puis la repoussa contre la
haie, en sifflotant.

Il s'étonnait d'avoir fait si vite le chemin de
son hôtel au presbytère, avec l'impression vague
d'être dupe d'on ne sait quel ingénieux tru-
quage. Sacré pays! Dès qu'on met le pied hors
des routes, d'ailleurs étrangement zigzagantes,
toute sérieuse estimation de distance devient
impossible, et le plus habile y circule comme à
travers un labyrinthe. Sa surprise n'était pas
moins grande de ne plus rien découvrir du village, pourtant si proche, de se trouver là ainsi
qu'au fond d'une cuvette, alors que, depuis sa
sortie des Quatre-Tilleuls, il n'avait cessé de
grimper. Rien — pas même l'angle d'un toit,
une fumée... Se pouvait-il que même du premier étage de cette bicoque, le regard portât
aussi loin que l'avaient prétendu ensemble
Mme Céleste et le curé de Mégère?

Il fit quelques pas, se trouva au pied du perron. L'eau coulait goutte à goutte d'un chéneau
invisible avec une plainte étrange, une sorte de
tintement cristallin, pareil à l'appel du cra-
paud. C'était le seul bruit qui troublât le silence,
car la brise du sud toujours légère en cette saison, venait de tomber tout à fait. La main du
magistrat se posa doucement sur la porte close,
puis sur la poignée de cuivre, qu'il manœuvra
presque à son insu. Il entendit claquer le loquet,

perdit l'équilibre, cogna du genou les marches glissantes. Une seconde encore il hésita devant le corridor ténébreux, puis après un dernier coup d'œil au jardin solitaire, il entra.

— Qu'est-ce que tu fiches ici, galopin? dit-il. On te cherche partout.

Le visage du petit clergeon venait d'apparaître et de disparaître aussitôt, mais l'enfant jugea sans doute inutile de lutter plus longtemps avec un aussi rude adversaire, et il sortit de la chambre fixant sur l'intrus un regard pensif. Les persiennes closes ne laissaient passer qu'un jour trouble et sans couleur. Avec une vivacité surprenante, le juge s'était accroupi devant le foyer, retournait de la main les cendres brûlantes.

— Sais-tu que ça pourrait te coûter cher, imbécile? De quoi te mêles-tu?

Il s'essuya les doigts à sa manche, en grimaçant de douleur, et vint lentement se placer entre le seuil et sa victime, lui coupant ainsi toute retraite. Le garçon, d'ailleurs, ne cherchait pas à fuir. Il se rapprochait au contraire à pas mesurés, s'efforçant de donner à ses traits puérils une expression d'énergie et de gravité.

— Ne fais pas le malin, ne va pas te monter la tête. Et d'abord jette un peu de bois sur le feu. Nous avons besoin de causer, toi et moi.

Mais les mains du petit tremblaient si fort qu'il ne réussissait pas à délier le fagot. Le juge dut lui venir en aide, disposa lui-même les brin-

dilles avec une lenteur voulue. Ils étaient age-
nouillés côte à côte ainsi que deux camarades à
l'étape, préparant leur gîte pour la nuit. Les
branches humides écumaient et sifflaient dans
l'âtre sans flamber.

— Sais-tu où est le bidon de pétrole? Apporte-
le-moi.

Docilement, le clergeon sortit, alla vers la resserre, dont on entendit grincer la lourde porte
de chêne. Déjà le bras du juge se glissait entre
le coffre à bois et la muraille, ramenait au jour
un vieux portefeuille dont le contenu disparut
en un clin d'œil dans la poche de son veston,
tandis qu'il repoussait de l'autre main l'étui
vide.

— Pas besoin de pétrole, dit-il sans tourner
la tête. Les bûches commencent à flamber.

Debout maintenant, il tendait vers le foyer la
jambe de son pantalon, raide de boue. L'enfant
s'était assis à ses pieds, la tête inclinée sur sa
poitrine, et le juge voyait frémir ses maigres
épaules.

— M. le curé t'a-t-il demandé de brûler tout
ce que tu trouverais encore dans sa chambre ou
l'as-tu fait sans son ordre, de toi-même? Réponds!

— De moi-même, répliqua le petit d'une voix
presque inintelligible. Mais vous pouvez m'interroger tant que vous voudrez, je ne sais rien.

— Ecoute, André, continua doucement le

juge, me crois-tu réellement ton ennemi? Re-
garde-moi en face, n'aie pas peur.

Il prit entre les mains la nuque délicate,
tourna de force, vers lui, un pâle visage exténué
aux paupières closes.

— Je vais te parler comme à un homme. Je
ne te reproche pas de l'aimer. Vous vous ressemblez. Voilà dix ou quinze ans, il devait être
un petit garçon comme toi, aussi méfiant, aussi
fier, aussi passionné. Tu seras bientôt prêtre
comme lui.

Les paupières du petit battirent et laissèrent
filtrer entre les cils un regard que le juge ne
put soutenir. Il détourna le sien, rougit.

— Crois-tu qu'ils me plaisent plus qu'à toi,
les gens d'ici? Je les connais, va! Des brutes. Pas
moyen de raisonner avec des brutes. Il s'agit
de tenir bon, voilà tout. C'est comme les
bêtes. Ne tourne jamais le dos à un chien, il te
sautera dessus. Pourquoi notre ami a-t-il tourné
le dos! Je ne demande qu'à respecter son secret,
s'il en a un. Les prêtres sont les prêtres. J'ai
servi jadis la messe, moi aussi, j'étais un
bonhomme très sage, très pieux, dans ton genre.
Ne me prends pas pour un de ces francs-maçons
que tu vois dans *le Pèlerin,* le nez en banane
et le tablier sur le ventre, hé! Retiens donc bien
ce que je vais te dire, ouvre tes oreilles. Dans
une heure ou deux, je serai redevenu juge d'instruction, et si nous nous parlons de nouveau, ce
sera nécessairement sur un autre ton. Hé bien,

j'étais si loin de m'opposer au départ de ton ami
que nous étions convenus ensemble du jour, de
l'heure. Oui, mon garçon, je lui rendais sa liberté
aujourd'hui même sans doute, demain sûrement,
et j'aurais trouvé un prétexte plausible, de quoi
faire taire les mauvaises langues. Bref, je lui avais
donné ma parole de fermer les yeux, tu comprends? Et le voilà qui nous file entre les pattes,
risque de mettre le pays sens dessus dessous! Tu
lui as donné ton cœur, tu veux lui rester fidèle
coûte que coûte, soit. Mais tu ne vas tout de
même pas te croire capable de soutenir un interrogatoire, un vrai! Tu finiras toujours par dire
des bêtises, tu le compromettras malgré toi. Je
ne veux pas de ça, moi, entends-tu! Et dans l'intérêt de la justice d'abord. Au point où nous
en sommes, la moindre gaffe est irréparable. Tu
ne sais pas ce que c'est qu'une instruction criminelle, mon petit. La machine est difficile à
mettre en route, mais d'un brutal! Une fois partie dans un sens ou dans l'autre, sauve qui peut,
je n'en serai plus maître.

Il regardait avec une surprise grandissante les
deux yeux fixés sur lui, où brillaient les dernières larmes. La méfiance y passait encore parfois comme une ombre, une ride de l'eau, mais
ils resplendissaient d'intelligence, de courage,
d'une sorte de complicité passionnée. Le juge ne
se souvenait pas d'en avoir jamais vu de pareils,
ni qui l'eussent ému si profondément, pour il ne
savait quelle contradiction secrète, indéfinissable.

Il se sentait les pommettes brûlantes, la gorge sèche.

— Nous devons désormais agir d'accord, reprit-il, en s'efforçant d'affermir sa voix. Réponds maintenant franchement à la question que je t'ai posée tout à l'heure. Oui ou non, M. le curé t'a-t-il chargé de détruire des papiers ou quoi?

— Non, dit l'enfant. Il m'a demandé seulement de repasser par le presbytère. Il avait emporté la clef de sa chambre et ne voulait pas qu'on eût à forcer la porte. J'ai trouvé des lettres sur le coffre et dessous. Je les ai brûlées sans les lire.

— Sous le coffre à bois? Montre.

Les paupières du petit clergeon eurent un imperceptible battement qui pouvait passer pour une réponse, et il glissa distraitement son bras dans l'intervalle laissé libre entre la caisse et le plancher. Tout à coup le mince visage parut se creuser, blêmit.

— Qu'est-ce qui te prend?

La main du juge s'était posée sur le coude de l'enfant, puis remontait le long de la manche. Leurs doigts se refermèrent ensemble sur le portefeuille, mais ceux du clergeon se desserrèrent aussitôt. Ils étaient maintenant debout côte à côte devant l'âtre en flammes.

— Chacun son métier, que veux-tu!

Du bout de sa bottine, il rapprochait les bûches noircissantes.

— A t'entendre, M. le curé ne t'aurait envoyé
ici que pour rapporter une clef oubliée. Si tu le
dis, personne ne te croira. Il ne faut donc pas
le dire. Moi je te crois. Je crois à ton affirma-
tion, parce qu'elle est absurde. Tu es jeune et la
jeunesse ne ménage pas ce qu'elle aime. Tu
conduirais tout droit ton idole à l'échafaud rien
que pour l'honneur d'y monter avec elle; on ne
plaisante pas avec un cœur de quinze ans! Et
ton grand ami te ressemble, il dramatise lui
aussi. A vous deux vous finiriez par la réussir,
votre catastrophe, vous l'auriez, votre erreur judiciaire! Sacré nom d'un petit bonhomme, quand
vous me mettriez le nez sur la piste, je ne la
suivrais pas. Je m'en fiche des secrets du curé
de Mégère, entends-tu! Et voilà ce que j'en fais
de ce portefeuille.

Il posa délicatement l'étui de cuir sur les
cendres rouges, le culbuta par-dessus l'échafau-
dage des bûches. L'enfant suivait des yeux
chacun de ses mouvements avec une attention
extraordinaire.

— Le plus dangereux ennemi du curé de Mégère, reprit le juge, c'est lui-même. A la rigueur,
un criminel peut espérer jouer au plus fin avec
la justice. L'innocent, lui, risque trop : elle lui
brise les reins du premier coup. Oh! je ne te
reproche pas d'être fidèle à ton ami. Il le mérite.
Crois-tu que s'il n'était à mes yeux qu'un homme
ordinaire, nous serions là tous les deux à parler
de lui? Et d'ailleurs, vous vous ressemblez trop,

vous deviez finir par vous rencontrer un jour,
car il n'y a pas de hasard, mon bon, le hasard
est l'alibi des imbéciles. Bref, à ton âge, on croit
volontiers qu'une première amitié engage la vie,
toute la vie... Parions que tu espères bien qu'il
te reprendra, hein? que vous ne vous quitterez
plus?

Le regard que l'enfant tenait courageusement
fixé sur celui du juge eut un bref éclair puis
s'assombrit aussitôt, n'exprima plus qu'une méfiance hostile, mêlée de crainte.

— Voyons, réfléchis une seconde, tu vas comprendre. Le curé de Mégère n'est pas libre. Rien
ne prouve que ses supérieurs lui permettront
de reprendre demain une place qu'il a quittée
dans des circonstances un peu... réellement un
peu suspectes. Aux yeux des gens d'ici, conviens
que ce départ ressemble à une fuite, et dans
leurs sacrées caboches où n'entrent jamais deux
idées à la fois, le mot de fuite n'évoque pas
grand-chose de bon... Evidemment tu pourrais le
rejoindre ailleurs. Mais toi non plus, mon garçon, tu n'es pas libre. Je te vois très bien bou-
clé au fond d'un séminaire où il y a peu de
chance que tu rencontres, parmi tes professeurs,
un autre grand ami, un autre curé de Mégère...

L'enfant écoutait toujours, sans émotion appa-
rente, mais ses mâchoires serrées, le frémissement
de ses paupières dénonçaient au regard expert
du juge l'angoisse intérieure qu'une frêle
volonté tendue à se rompre ne maîtriserait bien-

tôt plus, qui éclaterait tout à l'heure en sanglots convulsifs. Il tourna le dos à sa victime, ouvrit les persiennes. Un jour triste entra dans la pièce, avec l'odeur écœurante du jardin.

— Que dois-je faire, dit enfin le clergeon d'une voix encore ferme mais si basse que le juge put feindre aisément de ne pas l'entendre.

Et un moment après il sentit sur son poignet le frôlement d'une main glacée.

— Que dois-je faire? monsieur, reprit l'enfant vaincu.

— Tout dire, répliqua le juge avec douceur. Où est-il?

— Je ne sais pas.

— Nous discuterons de cela plus tard. Au moins savais-tu qu'il allait quitter Mégère?

— Non.

— Tu mens. Pourquoi aurais-tu graissé ta bicyclette dès le début de l'après-midi?

— Parce qu'il m'avait demandé de la tenir prête. Je devais aller faire la course moi-même.

— Quelle course?

— Porter une lettre, un paquet, je suppose, enfin rien de bien lourd puisqu'il n'a même pas voulu que je répare mon porte-bagages. A la brune je suis venu avec la machine jusqu'à la mare; je l'ai laissée là, contre un arbre. Je croyais revenir tout de suite, mais M. le curé m'a fait entrer dans sa chambre, et nous avons parlé comme d'habitude tranquillement...

— De quoi?

— Oh! de tout. Je ne comprends pas toujours ce qu'il dit, mais ça suffit qu'il vous regarde, de ce regard qu'il a, si doux qu'il fait peur. Je l'ai supplié de me garder, de m'emmener avec lui, n'importe où. Alors il est devenu très pâle, il m'a répondu des choses que je n'entendais pas bien parce qu'il tenait ma tête serrée contre sa poitrine. Puis nous sommes sortis dans le jardin, nous avons été jusqu'au bout de la grande pâture, entre les deux grands peupliers, d'où l'on voit la place de Mégère. Il était déjà tard; il n'y avait plus, aux Quatre-Tilleuls, qu'une seule fenêtre allumée. Il m'a dit que c'était la vôtre, et il est revenu à la maison tout soupirant, tout pensif. Mme Céleste était partie. Alors il m'a commandé brusquement d'aller chercher ma bicyclette et de la conduire moi-même au tournant de la route de Bièvre, de l'attendre là, qu'il me rejoindrait.

— Et il t'a rejoint?

— Presque aussitôt. Il avait en main son sac que j'ai ficelé moi-même sur le guidon et je l'ai regardé partir vers...

Le petit juge haussa les épaules.

— Tu mens, mon garçon, fit-il sans colère. Regarde-toi. N'es-tu pas crotté jusqu'aux reins? Et si d'ailleurs ton ami, pour son malheur, avait pris la direction de Montbars, il n'aurait pas fait deux lieues : tous les carrefours sont gardés. La vérité, je vais te la dire. Tu as conduit le

curé de Mégère par les traverses jusqu'à la route
des Platanes, huit kilomètres de pierrailles, on
lit ça sur tes souliers comme dans un livre. Et
l'idée n'était pas bête. Pourtant, il s'en est fallu
d'un rien que vous ne donniez du nez sur le
poste de Camiers. Une chance qu'il ait pris le
vieux sentier, le long de la rivière... Mais quelle
gadoue! Il a dû arriver en bon état à la gare
de Presles, pour le train de 5 h. 30... Car c'est
ce train-là qu'il a pris. Je le connais bien, le tor-
tillard. Et veux-tu savoir encore à quelle station
il est descendu? A Saint-Romains, mon garçon,
inutile d'ouvrir les yeux comme ça. J'ai évidemment peu de lumières sur le curé de Mégère,
mais enfin j'ai tout de même appris quelques
petites choses, celle-ci par exemple, qu'il m'a
cachée, le diable, d'ailleurs, sait pourquoi? Hé
bien, mon garçon, s'il a manqué la patache avant-
hier, c'est parce qu'il s'était arrêté à Saint-Romains. Le curé de Saint-Romains est son ami.
Alors pas besoin de se creuser beaucoup la tête
pour comprendre qu'il aura été lui demander
aide et conseil. Car soit dit entre nous, et si j'en
crois les premiers renseignements, il ne me paraît
pas avoir autant de sympathies dans le diocèse
que je l'aurais supposé, notre incomparable curé
de Mégère!

Il mit les mains derrière son dos, et commença
d'arpenter la chambre. L'enfant s'était écarté de
lui, sournoisement, pas à pas, et réfugié maintenant à l'angle de la pièce, il observait son

adversaire, tête basse, d'un regard coulé entre
ses longs cils.

— Ne guette donc pas la porte, dit tranquillement le petit juge. A quoi bon? Je n'ai pas
l'intention de te mettre en cage, tu me seras
plus utile dehors que dedans.

Il revint brusquement vers le clergeon, posa
paternellement les deux mains sur ses épaules.

— Ecoute-moi bien, nigaud. Je vais te faire
donner une bicyclette. Tu la trouveras dans une
heure aux Quatre-Tilleuls. Et si le cœur t'en dit,
comme je l'espère, tu iras faire un tour à la campagne, du côté de Saint-Romains, par exemple.
Oh! je ne te demanderai pas de me répéter ce
que tu auras vu ou entendu? Rapporte simplement à qui tu sais la conversation que nous ve-
nons d'avoir, ni plus ni moins. Tu pourras même
ajouter que je n'exige rien de ton ami, sinon
qu'il revienne et se tienne tranquille ici, à son
poste. Sa présence peut empêcher bien des
malheurs. Et pour ses secrets, s'il en a, qu'il les
garde, nous n'avons pas trop de temps à perdre
en bagatelles. Sortons.

Ils descendirent le jardin, franchirent l'un
après l'autre la haie ruisselante. A l'entrée de
la seconde pâture, l'enfant ralentit le pas, hésita,
puis prenant brusquement son parti, s'enfuit à
toutes jambes, disparut.

Le magistrat se retint difficilement de le rappeler. Au cours de l'entretien, il s'était senti
plus d'une fois ridicule, mais hors de la salle aux

volets clos, sous ce ciel louche, il se demandait
s'il n'était pas encore dupe de son imagination,
ébranlée par les rêves de la nuit. Entre lui et ce
gamin singulier dont le silence ne dissimulait
sans doute qu'un sentiment puéril fait de crainte
et de vanité, l'ombre du curé de Mégère n'avait
cessé de se tenir, présence certaine, efficace. En
somme il n'avait tant parlé que pour échapper
à l'espèce de gêne qu'éprouve le plus effronté
lorsqu'il se croit observé par quelque tiers invisible. Cette gêne évanouie, l'inquiétude persis-
tait, trop vague et d'ailleurs trop humiliante
pour qu'il osât discuter franchement avec elle.
Non, ce n'était pas seulement le scrupule de compromettre un homme sans doute irréprochable
qui le frappait ainsi d'impuissance. Ce trouble
datait de plus loin. Il l'avait senti naître en lui
dès le premier regard du prêtre, en même temps
qu'une sympathie passionnée, inexplicable, plus
forte que la curiosité même, car à peine eût-il
pu dire encore à cette heure s'il souhaitait ou
redoutait de connaître tous les termes du problème dont il poursuivait la solution par simple
réflexe professionnel. Avait-il peur? Mais de
qui? Ou de quoi?

L'air humide, trop doux pour la saison, acca-
blait ses nerfs sans réussir à les apaiser. Il retrouva sa chambre avec dégoût, s'emporta sous le
premier prétexte venu au grand scandale d'une
des demoiselles Simplice accourue, et qui à
chaque juron penchait un peu plus sur sa poi-

trine drapée de pilou mauve, un long visage plein de cette résignation effrayante qu'on ne voit qu'au regard des très vieux chevaux. Il finit par la repousser doucement hors de la pièce, et s'approchant de la fenêtre, tira de sa poche les papiers trouvés dans le portefeuille, une demi-douzaine de pages, sans doute arrachées à un agenda et portant le nom et l'adresse de quelques commerçants de Mégère. Il allait en remettre l'examen à plus tard, lorsqu'un mince carré de carton glissa de ses mains jusqu'à terre. Il le ramassa avec un grognement de plaisir.

C'était une photographie vraisemblablement très ancienne, car elle avait cette teinte jaunâtre qui dans les vieux albums familiaux semble la teinte même de l'oubli. L'ayant tournée et retournée entre ses doigts jusqu'à ce que la lumière la frappât de biais, il y vit se dessiner peu à peu l'image d'une jeune fille vêtue de noir, les mains modestement croisées sur le ventre, le dos appuyé à une de ces absurdes balustrades de carton, décor jadis favori des photographes de province.

Une jeune fille d'ailleurs à peine sortie de l'enfance, mais aux traits déjà formés, empreints d'une gravité mystérieuse, encore accentuée par deux rides verticales à chaque coin de la bouche amère. N'était la longue natte de cheveux tressés ramenée sur l'épaule et serrée d'un prétentieux nœud de satin, cette figure extraordinaire eût paru sans sexe et sans âge. Le petit juge

ne retint pas un nouveau grognement, cette fois
de colère. Ne rencontrerait-il donc, dans cette
diabolique aventure, que des visages inclas-
sables, indéchiffrables? Pour rompre le charme,
il s'efforça de penser que l'inconnue n'avait,
plus que vraisemblablement, rien de commun
avec le curé de Mégère. Une parente de
Mme Céleste peut-être? Mais il ne pouvait plus
détacher ses yeux de la photographie qu'il examinait maintenant à la loupe. C'était une de ses
coquetteries, de prétendre reconnaître à certains
signes infaillibles les acteurs principaux d'un
même drame. Certes, il eût été fou d'admettre
que le pensionnaire anonyme fût pour quelque
chose dans le triste destin de la dame de Mégère et néanmoins le magistrat devait s'avouer,
non sans agacement, que l'entrée en scène de
ce personnage inattendu l'avait plus troublé
que surpris, comme s'il eût appartenu d'avance
à ses songes? Quoi de plus naturel, après
tout? Ne lui arrivait-il pas souvent de rencontrer au hasard d'une vie, en somme peu séden-
taire, de ces inconnus dont il disait fami-
lièrement qu'ils étaient « de sa clientèle »? Mais
ce visage ne pouvait passer cependant pour
celui d'une criminelle vulgaire, et il n'eût
retenu l'attention d'aucun gendarme. Le seul
esprit de révolte s'inscrivait dans chacun de ses
traits précocement vieillis, la révolte et aussi
une douleur vraie, profonde, de celles réservées
peut-être à l'adolescence, qui tiennent comme

elle de la Bête et de l'Ange, marquent pour la
vie, parfois à l'insu de la victime même, la sen-
sualité et l'orgueil naissants. Et le souvenir lui
revint tout à coup d'une affaire instruite plusieurs années auparavant et qui avait été le
plus beau succès de sa carrière. Une jeune fille
servante chez une riche fermière de Puysienta
avait empoisonné sa maîtresse et les soupçons
s'étaient portés d'abord sur le beau-fils de la
défunte, garçon peu recommandable et qu'on
savait perdu de dettes. Il eût été condamné sans
le hasard presque miraculeux d'une lettre découverte sous un monceau de gravois — jamais
parvenue d'ailleurs à sa destinataire — où la
domestique exprimait à la fille de la patronne,
âgée de quinze ans, les sentiments qu'elle nour-
rissait pour elle en secret. Menacée de renvoi,
la misérable n'avait pu supporter l'idée d'être
séparée de son idole, perpétrant son crime avec
une audace, un sang-froid, une perversité
incroyables.

Il remit la photographie dans le tiroir et
s'aperçut que ses tempes battaient. « J'ai pris
la grippe, pensa-t-il, j'aurai du moins pris ça... »
Bien qu'il s'inquiétât d'ordinaire du moindre
accès de fièvre, il accueillit sans déplaisir l'idée
d'un repos forcé. Au diable l'enquête! Il finissait décidément par avoir trop souvent l'impression de courir lui-même un risque — pis
encore : de le partager en quelque mesure avec
les auteurs ou les complices inconnus du crime.

« Je cherche la vérité, s'avouait-il, mais sans
grande envie de la trouver... » L'orgueil le retenait seul de convenir qu'il eût volontiers classé
l'affaire... Hélas! de longues semaines se pas-
seraient avant que la justice s'avouât vaincue.

Un regard jeté sur sa montre l'avertit qu'il
pouvait disposer d'une heure encore. Il gagna
péniblement son lit et, les yeux déjà clos,
ramena l'édredon sur ses jambes. Les mêmes
images qui avaient hanté son sommeil surgirent
de nouveau et sa volonté engourdie ne choisis-
sait déjà plus, les accueillait ensemble, résignée.
Le curé de Mégère, son clergeon, la petite servante, ou l'anonyme pensionnaire, qu'avaient
donc de commun entre eux tous ces visages? La
fièvre donnait à cette question un caractère de
gravité, d'urgence presque risible, et il se la
posait avec angoisse. La réponse vint tout à
coup. Si différents qu'ils fussent, soit qu'ils ins-
pirassent la sympathie, la méfiance ou l'aver-
sion, ces visages maintenant familiers se ressemblaient par on ne sait quoi d'inachevé,
d'équivoque, ceux des femmes trop tendus, trop
durs, presque virils, celui du curé de Mégère
marqué d'une mélancolie, d'une sorte de tristesse pathétique dont il avait retrouvé le reflet,
non sans une gêne secrète, sur la figure passionnée, féminine de l'enfant de chœur.

II

— Hé bien, madame Céleste, que voulez-vous
que je vous dise? Je n'y étais pas, moi.

— Sûr, ma pauvre Phémie, sûr. Mais enfin
vous êtes venue cette nuit-là quand même. Je
vous ai vue, je vous ai parlé, ça me rassure.
Autrement, je croirais d'avoir rêvé.

— C'est parce que vous y pensez trop, madame Céleste. A quoi bon se tourner les sangs.
Laissez donc faire la justice.

— Ah! oui, parlons-en de votre justice! Me
voilà-t-il pas seule ici maintenant pour répondre
de tout. Jusqu'à ce morveux d'enfant de chœur
qu'ils ont laissé filer, paraît-il. Oh! vous pouvez
rire, ma belle. Pour moi, il a ensorcelé notre
curé, ce Nicodème. Dès le lendemain matin, il
n'était pas plus tôt entré dans la chambre avec
sa tête de rat, qu'ils causaient tous les deux
comme des camarades. L'après-midi de même.
Le soir de même. Lorsque j'entrais, c'étaient
deux paires d'yeux qui se levaient ensemble,

vous auriez dit un rendez-vous d'amoureux. Et
des mines!

— Qu'est-ce que vous allez penser là!

— Je me comprends. Des garçonnets dans son
genre c'est tout autant malicieux que des filles,
il n'y a pas plus vicieux, plus caressant. Jusqu'au
petit juge qui a l'air d'en être assoté... Moi je
ne suis qu'une vieille femme, ma fine. Mais
j'aurais pris le gamin par les oreilles et je vous
l'aurais fouetté avec une bonne poignée d'orties,
à l'ancienne mode, histoire de lui faire retrouver sa langue.

— Pour dire quoi?

— La vérité. Voilà un galopin que je laisse
au presbytère passé onze heures, en tête-à-tête
avec notre curé. Le lendemain, plus de curé.
Qu'est-ce qu'il en a fait, du curé?

— Il ne l'aura pas mangé, votre curé, madame Céleste! Et justement le brigadier disait
pas plus tard qu'hier au soir, chez les demoiselles Simplicie...

— Votre brigadier, il est saoul à longueur du
jour, ma pauvre Phémie...

— N'importe. Il disait qu'à son idée le petit
juge laissait courir le furet, mais sans lâcher la
ficelle. Une ruse à eux, quoi! Faut d'ailleurs
convenir que ce curé-là ne fait rien comme les
autres, avouez?

— C'est parce qu'il n'est pas comme les
autres, ma fine. Voilà trente ans que je sers, je
connais mon monde. Des prêtres pareils, il n'y

en a pas dix dans le diocèse, peut-être. J'ai pensé
du premier coup : celui-là ne mettra pas longtemps ses pieds dans les souliers du curé de Mégère, sûr.

— Possible. Vous ne voudriez pas que je dise
grand-chose d'un homme que j'ai vu cinq minutes. N'empêche que nos gens lui trouvent un
drôle d'air, trop délicat, trop gracieux... Et tenez,
le brigadier prétend qu'il ressemble à l'instituteur de Capdevieille, ainsi!

Le visage de Mme Céleste devint pourpre.

— Vous devriez avoir honte de parler d'un
dégoûtant qui a été révoqué pour mœurs, espèce
de dévergondée. A-t-on idée de faire rougir une
femme de mon âge! Ça ne vous portera pas
bonheur. Mais patientez encore un peu; on vous
en donnera, ma fine, des gros curés montagnards,
tout juste capables de boire et de manger, de
vrais bouviers. Un enfant du Bon Dieu comme
celui-là n'est pas fait pour des rustauds de
paysans qui n'ont que le mal en tête. Si doux, si
tranquille, si respectueux! A Grenoble, les belles
dames de Sainte-Eulalie et de Saint-Marc, elles
vous l'auraient gâté, bichonné; ça rapporte gros
à l'évêque, allez, des prêtres comme ça. Et irréprochable, j'en mettrais ma main au feu. D'ailleurs, suffit de le voir, de l'entendre. Il donnerait de l'esprit à une bête, cet homme-là. Avant
seulement qu'il ait ouvert la bouche, on dirait
que sa pensée est déjà dans vous, dans votre poitrine, qu'elle vous a sauté dans le cœur. Et les

mots pour lui répondre sortent de même, à croire qu'il n'a qu'à leur faire signe, les appeler, il a l'air de charmer des colombes, comme le vieil Italien qui est venu ici l'an dernier...

— Ben, madame Céleste, sûr toujours qu'il a su vous délier la langue, un avocat ne causerait pas mieux. Quand même, les gens n'ont pas tort de se plaindre. Un curé qui leur arrive passé minuit, dans la carriole de l'idiot, avec la pro-vision de châtaignes, et qui disparaît sans avoir seulement montré le bout de son nez, laissant tout le village dans le souci! Vous pouvez expli-quer ça, vous?

— Et si c'était la justice, ma belle? Croyez-vous qu'ils n'aient pas plus d'un tour dans leur sac pour se débarrasser d'un homme qui voit trop clair? Autrement, qu'est-ce qu'il serait venu faire ici, ce petit juge, deux heures durant? J'ai tâché d'écouter à travers la porte, je ne le cache pas, je m'en vante. Ah! bien oui! Autant vou-loir entendre pousser l'herbe. Laissez dire! Un magistrat qui n'a rien à se reprocher ne parle pas comme une fille en confesse. Lorsqu'il est sorti, j'ai fait exprès de le reconduire jusqu'à l'enclos. Pas moyen seulement de voir la couleur de ses yeux.

— Et le curé?

— Tout renfrogné, tout triste. La mine d'at-tendre quelqu'un. Et en effet, dix minutes plus tard, voilà qu'arrive l'enfant de chœur qui me passe quasi entre les pattes, dans le couloir. J'ai

cru qu'il sortait du plancher, c'te vermine!
« D'où viens-tu? » que je lui dis. Il avait sa
culotte trempée, la main pleine de cambouis.
« Tâche au moins de ne pas poser ton derrière
» sur notre fauteuil, barbouillé! » S'il m'avait
seulement répondu de travers, je l'aurais fichu
dehors, il n'y a pas de curé qui tienne! Mais c'est
un garçon rusé, ma fine, et qui tient sa langue
quand il faut. N'importe. Sûr qu'un bon coup
du manche de mon balai à travers sa face de
rat eût épargné bien des malheurs...

— Alors, vous croyez que le juge et lui...

— Deux têtes sous le même bonnet, ma chère.
La preuve, c'est que leur besogne faite, le barbouillé court toujours, Dieu sait où!

— La vieille croit à un crime, ma chère, elle
est comme folle.

Laissant tomber sa voix sur les dernières syllabes, elle croisa les deux mains sur son ventre,
les yeux mi-clos, la pointe de la langue dépas-
sant les lèvres, dans l'attitude à la fois recueillie
et gourmande qu'elle prenait chaque soir
lorsque les pieds posés sur la chaufferette d'où
montait l'odeur familière de ses pantoufles rous-
sies, elle commençait la lecture d'un roman du
Jardin des Modes.

— Il y a de la politique là-dessous, reprit madame Céleste, les assassins peuvent courir...
D'ailleurs, savez-vous au juste ce qu'elle était,
vous, notre dame de Mégère? Si ce que l'on raconte est vrai, voilà une femme qui a fait le tour

du monde, visité les sauvages, roulé sur les mers.
Et riche! Drôle d'idée, ma belle, de venir fixer
ses jours au fond d'un méchant petit village de
rien! Et la nièce, donc, l'héritière! On ne l'a
jamais vue ici, sa nièce. Je veux bien qu'il y a
eu des brouilles. Alors pourquoi qu'elle hérite?
Mme Louise répétait partout que le magot irait
aux hospices ou même à Monseigneur, bien que
la vieille ne fût guère dévote. Pensez qu'elle
devait travailler pour l'évêque, la gouvernante,
une ancienne religieuse! Ces gens-là se tiennent
comme les doigts de la main, tout pareil. Pas
vrai, petite?

Elle enveloppa du regard sa confidente avec
une espèce de tendresse, car leur amitié, tra-
versée de tant d'orages, se retrempe sans cesse
dans la complicité des mêmes plaisirs.

— Vous savez qu'elle est descendue chez
Mme Courtois, la demoiselle de Châteauroux?
dit Philomène, les yeux de plus en plus brillants, la bouche sèche. Elle n'a pas voulu coucher sous le même toit que la morte, je comprends ça. Mme Courtois prétend qu'elle a l'air
bien simple, bien honnête, mais pas trop portée
sur la conversation. Paraîtrait qu'elle n'ouvre
pas la bouche.

— Et pour cause! Si elle l'ouvrait, ceux qui
tiennent les ficelles dans la coulisse trouveraient
tout de suite le moyen de la lui fermer. Laissez
faire, ma belle! Une fois le magot en sûreté,
Dieu sait où! les journaux s'occuperont d'autre

chose, le juge filera vers Grenoble, l'affaire sera
classée, — comme ils disent — et vous n'enten-
drez plus jamais parler de la demoiselle de Châteauroux ni peut-être seulement du curé de Mégère.

— Oh! madame Céleste, vous ne croyez tout
de même pas qu'ils l'ont...

— Et pourquoi qu'ils ne l'auraient pas...
D'une manière ou d'une autre, ce ne sont pas
les moyens qui manquent de se défaire d'un
homme sans le tuer. Celui-là savait trop de
choses, Philomène. Il les savait ou il les devinait, il comprenait tout d'un regard. Je ne suis
qu'une vieille femme, mais si j'avais pu prévoir,
je me serais plutôt mise en travers de la porte
et je lui aurais dit : Malheureux, une fois parti,
vous ne reviendrez plus, ou vous ne reviendrez
que lèvres cousues. Parlez maintenant! Maintenant ou jamais! La vérité n'a qu'un temps.

Mlle Philomène haussa les épaules sans répondre. Depuis un moment elle ne quittait pas
des yeux l'étroit ruban de route visible à travers
les arbres et que la brume du soir, doucement
balancée par les remous de la vallée, couvrait et
découvrait tour à tour.

— Le juge! fit-elle tout à coup. Madame Céleste, le petit juge...

— Madame, dit le magistrat, l'absence de
M. le curé de Mégère me force à prendre certaines mesures, d'ailleurs provisoires, et qui

doivent garder un caractère... de discrétion.
L'opinion s'alarme si vite! Bref, il serait préfé-
rable que cette maison restât sous la garde d'une
personne sûre, mais dont la présence ici n'atti-
rât l'attention malveillante de personne. Nous
avons pensé à vous, n'est-ce pas, Grignolles?

Il avança d'un pas et découvrit son compagnon
debout sur le seuil.

— L'inspecteur Grignolles, fit-il d'une voix
brève; et maintenant, hâtons-nous. Il ne nous
reste guère que dix minutes pour la petite véri-
fication.

Du menton l'inspecteur désignait à son chef
la vieille bonne qui sans répondre regardait tristement à travers les vitres s'effacer la silhouette
familière de Mlle Phémie. Le petit juge lui
répondit d'un clin d'œil.

— Nous causerons d'ailleurs de cela plus tard,
n'est-ce pas, Grignolles? Il est possible que vous
redoutiez un peu de coucher seule la nuit, dans
une maison vide, madame? N'importe! Pour
l'instant, nous vous demandons de vouloir bien
nous accompagner jusqu'à la chambre occupée
par M. le curé de Mégère la nuit... la nuit du
crime.

Il passa devant. L'inspecteur marchait sur ses
talons.

— Lorsque M. le curé est venu frapper à
votre porte, madame Céleste, dormiez-vous?

— Oui, monsieur.

— A votre entrée dans cette pièce, la fenêtre était-elle ouverte?

— Je crois que oui... Oui, monsieur.

— Aucune importance, interrompit l'inspecteur. En l'absence du témoin, il me semble que nous devons adopter l'hypothèse la plus favorable, je veux dire celle qui s'accorde le mieux avec la version qu'il a donnée...

Il alla jusqu'à la fenêtre, l'ouvrit et s'y accouda, le buste penché en dehors.

— Mettons les choses au mieux, dit-il d'un ton goguenard. Nous pouvons supposer que M. le curé de Mégère a l'habitude de rêver la nuit au clair de lune, même avec dix degrés au-dessous de zéro.

Il sifflota entre ses dents, de l'air d'un homme qui s'acquitte d'une formalité jugée d'avance inutile. A l'autre extrémité de la pièce, le magistrat consultait sa montre.

— Ça y est, fit-il enfin. Quatre heures quarante-sept. Exactement.

— Attendons la seconde expérience, répliqua paisiblement l'inspecteur sans prendre la peine de se retourner. Madame devrait même fermer la porte.

Son ton exaspérait visiblement le petit juge qui après un moment remit sa montre au gousset en haussant les épaules.

— Comprenez ce qui se passe, vous? grogna-t-il au nez de la vieille bonne devenue blême. Non? Eh bien, j'ai voulu me rendre

compte avant l'expérience officielle, savoir par
moi-même s'il est possible d'entendre de cette
chambre, oui, madame, de cette chambre — la
détonation d'un coup de pistolet tiré dans le
parc. Et pas un seul coup, madame. Cinq, ni
plus ni moins. Ça vous étonne?

— Non, monsieur, balbutia la pauvre femme
terrorisée.

— Ça devrait vous étonner. Car enfin, sacrebleu, si vous n'avez rien entendu l'autre nuit, de
quel droit avez-vous mis tout un village sans dessus dessous, mille noms d'une pipe?

— Ce n'est pas moi, monsieur. A preuve que
je dormais. M. le curé...

— Laissez-moi tranquille avec votre curé!...

Il lui tourna le dos, pris lui-même au piège de
la colère feinte, dont il venait de masquer son
embarras et sa déception. Mais la vieille, demeurée seule au haut de l'escalier, reprit soudain
courage, et grogna d'une voix étranglée de
frayeur et de colère.

— Mon curé! Mon curé en vaut bien d'autres!
Et la justice ferait peut-être bien aussi de s'occuper d'un certain galopin, enfant de sorcière,
d'un malappris, d'un mal avisé capable de tout,
et qui...

Le reste se perdit dans sa gorge.

Ils marchèrent un moment côte à côte en silence. Le chemin qu'ils suivaient était ce même
sentier qu'avait dû descendre, en pleine nuit, le

curé de Mégère. Un peu avant la route, la pente plus escarpée encore, presque à pic, lavée par la pluie, n'est plus qu'une dalle ruisselante. Ils la gravirent avec peine, puis s'arrêtèrent pour souffler, laissant errer distraitement leurs regards sur le triste paysage décoloré. De cette place, à leur grande surprise, le château reste invisible. Ils n'aperçurent que les cimes des plus hauts arbres du parc, sur lequel s'enroulait et se déroulait, comme à l'ordinaire, le vol noir des corneilles.

— Vous triomphez, mon cher, dit enfin le juge aigrement.

— Mon Dieu, non... soupira l'inspecteur. Cette expérience ne vous apprend rien, je suppose? Qu'il ait menti, cela ne faisait déjà plus doute pour moi, ni pour vous.

— Je regrette que vous ne l'ayez pas vu.

— Je l'ai vu... Autant qu'on peut voir un homme par un soir un peu sombre, à travers la haie de son jardin. Mais c'est votre faute, patron. Je venais de débarquer, hein, et j'ai reconnu de loin votre figure des mauvais jours.

— Vu et entendu, reprit le petit juge d'une voix pensive.

— Ben, dit l'autre, je suis un type assez grossier, dans mon genre... D'une manière, l'idée n'était pas si mauvaise de le laisser continuer seul son bonhomme de chemin : il aurait pu aussi bien nous conduire quelque part. Et d'ailleurs, on n'a pas toujours le choix. La dernière gaffe à faire c'est de vouloir coincer tout de suite

un témoin, de le forcer à se contredire trop tôt.
Quand même, pour parler franchement, j'aurais
moins ménagé celui-là. Oui. Car maintenant...

— Maintenant...

— Oh! vous savez, je ne tiens pas autrement à
la supposition. Mais enfin si le personnage est,
comme vous le pensez, pris entre deux devoirs
inconciliables... Dame! quand on roule à bicyclette, le long d'une rivière, par une nuit noire...

Ils avaient repris leur marche, et descendaient
de nouveau vers le village à peine visible à leurs
pieds, dans la brume. Le petit juge s'arrêta brusquement.

— Grignolles, mon vieux, je me sens réellement malade.

-— Allons donc! Un peu de grippe...

— Je parle sérieusement, reprit le magistrat.
Tenez! Si le mot de pressentiment a un sens, je
puis m'attendre au pire.

— Les pressentiments, c'est une blague, affirma l'inspecteur. Pour moi, patron, règle générale, les tuiles me tombent dessus lorsque je m'y
attends le moins. Alors...

— Possible. Vous devriez quand même cesser
de faire le malin. Ce n'est pas la première fois
que nous travaillons ensemble, Grignolles, et si
c'est la dernière, vous regretterez d'avoir perdu
votre temps à tourner autour du pot. Voyez-
vous, dès le commencement de cette sacrée
affaire, j'ai eu l'impression — une impression
singulière, Grignolles — l'impression d'une

porte qui s'est refermée derrière moi — pan! —
me laissant dans le noir...

— Tout seul, quoi?

— Eh bien, oui, justement. Je n'ai pas eu le
temps de vérifier si la place n'était pas déjà occupée par un autre. Alors, j'écarquille les yeux,
j'allonge le bras, je tâte par-ci, par-là, mais prudemment, trop prudemment.

— Oui. Ça ne vous dirait rien de fourrer tout
à coup le doigt dans un nez, dans une bouche.
Pouah!... Ça me rappelle qu'en 1926, à Besan-
çon...

— Ne vous rappelez pas, inutile... Je disais
que vous devriez cesser de faire le malin. J'ai
une idée, vous avez la vôtre, parfait. Au début
d'une enquête, il n'est pas mauvais de travailler
dans deux directions différentes, on peut très
bien finir par se rencontrer. L'essentiel est de ne
pas se gêner. Or, vous arrivez ici après moi, vous
trouvez l'ouvrage en train. Ne soyez pas aussi
bête que les autres : n'attendez pas que la chose
tourne mal pour mettre l'échec à mon compte,
hé? Je ne vous demande pas de me dire ce que
vous auriez fait à ma place — ça n'a pas d'importance — mais seulement ce que vous n'auriez pas
fait...

— Dame, patron, ce qui est fait — si vous
voulez mon opinion — ça n'est pas gros...

— Merci.

— Pas possible autrement, que voulez-vous?
A première vue, l'affaire paraît claire, un crime

crapuleux quelconque. Deux vieilles femmes et
une bonniche dans une maison comme celle-là,
faut avouer qu'il y a de quoi tenter un mauvais
gars. D'ici à la frontière, sans les chercher, je me
charge de trouver en vingt-quatre heures dix
gaillards capables du coup. Des réfugiés poli-
tiques, qu'ils disent. Pourquoi riez-vous, patron?

— Pour rien, par sympathie. Je me suis ré-
pété ça tant de fois, exactement. Lorsqu'on a le
nez dessus, la petite histoire ne paraît pas plus
bête qu'une autre; mais sitôt qu'on se recule un
peu, à la manière des amateurs de tableaux, hé
bien, que voulez-vous, ça ne va plus. Non, ça ne
va plus... Et le type trouvé dans le parc, qu'est-ce
que vous en faites?

— Règlement de comptes, patron...

— Peuh! Si vite?

— D'accord. Libre à vous de supposer que le
va-nu-pieds n'a été que l'instrument, l'exécutant,
quoi!

Un garçon débrouillard a toujours ça sous la
main. Le coup fait, il aura trouvé plus mariolle
de le supprimer.

— Bon. Et après? Filé en avion, je suppose.

L'inspecteur pinça les lèvres.

— Maintenant, patron, sait-on seulement au
juste à quelle heure le crime a été commis?
Alors? Il ne faut pas si longtemps en automobile
pour...

— Quelle auto? Pas trace d'auto sur le chemin où il ne passe pas quarante charrettes par

an. Elle aurait donc attendu sur la route? Et pour remonter la côte, à travers tout le village? Personne ne l'a vue ni entendue, votre auto, mon cher! Et quelle place faites-vous dans votre scénario au témoignage du voiturier?

— Bah! Un ivrogne. Il s'est d'ailleurs rétracté le lendemain, pour revenir à sa première version vingt-quatre heures après. Pas sérieux.

— Ecoutez, Grignolles. Vous parlez comme notre procureur. Sérieusement, je ne vous ai jamais connu si prudent, si sage. Vous mériteriez d'être choisi par la Préfecture de police pour les communiqués à la presse, mon cher. Mais j'attends encore une réponse à ma question. Qu'auriez-vous fait ou que n'auriez-vous pas fait à ma place?

— J'aurais cherché dans la rivière... Pourquoi pas? Je ne l'ai vu qu'une minute ou deux, votre curé, mais il m'est resté dans l'œil. Nerveux pis qu'une femme, ce gars-là. Tiendrait pas le coup.

— Quel coup?

— Si je le dis, vous allez chanter... N'empêche qu'ils nous ont filé entre les doigts, tous les deux, le poisson, l'appât et la ligne... Ni l'un ni l'autre n'ont mis les pieds à Saint-Romains.

— Possible. Possible aussi que le curé de Saint-Romains...

— C'est que vous ne le connaissez pas! Franc comme l'or! Nous avons causé ce matin, en camarades. Il n'a pas revu son copain depuis la matinée du 6 et justement, patron, je me demande pourquoi votre ratichon nous a caché cette visite-là...

— Caché... Vous oubliez, mon cher, qu'il n'a jamais été question d'un interrogatoire en règle...

— Admettons que je n'ai rien dit. Mensonge par omission, simplement.

— Mensonge... mensonge...

— Dame! un de plus. Car enfin vous devez être bien près de convenir maintenant qu'il a inventé le fameux coup de feu dans la nuit, — un vrai titre de roman policier...

— Pas sûr... L'expérience a été bâclée.

— Recommençons-la. D'ailleurs, je me fiche des expériences, et quant aux rapports d'experts Dieu sait où je voudrais les mettre! Tout de même, s'il a menti, faut lui trouver une raison. Le voilà donc qui descend ce diable de chemin, ahuri par le voyage, embêté de son retard, à tâtons, par une nuit noire, et son fameux sac à la main. Naturellement, il n'a pas osé dire au voiturier qu'il avait peur. Et puis, en haut, il a aperçu la lumière, il s'est cru déjà dans sa chambre, en train de lire son bréviaire... Voilà donc mon bonhomme qui s'embrouille. Il file à droite au lieu de tourner à gauche. Il commence à se monter la tête. Et qu'est-ce qui m'empêche-rait de croire qu'il a un revolver dans son sac? Ça peut être utile à un petit curé nerveux pas trop solide, et qui sait qu'il habitera une maison isolée, dans un sacré pays sans chemin de fer, au bout du monde. Il tire donc son revolver et le garde à la main, histoire de se rassurer.

— Oui. A ce moment un pauvre type se présente, et il lui loge une balle dans la peau, sans lui avoir seulement souhaité le bonsoir...

— Se présente... Se présente... Il y a plus d'une manière de se présenter, patron! Le gars qui s'amenait n'avait pas la conscience tranquille, vous pensez. Le petit curé a dû comprendre tout de suite qu'il ne venait pas lui demander sa bénédiction.

— Et alors?

— Alors chacun file de son côté. Le type va crever plus loin. Le petit curé dégrisé retrouve son chemin du coup. On le retrouve toujours quand on ne le cherche plus. Dans la conversation avec la vieille, il se renseigne, il comprend que le gars sortait du parc de Mégère, qu'il a peut-être fait un sale coup au château, que son devoir aurait été de donner l'alerte. Et il la donne, l'alerte, avec une heure de retard. Ça vaut toujours mieux que rien, et ça a aussi l'avantage de lui épargner des explications.

— Idiot, mon cher. Et le voiturier? Il n'a pas entendu le coup de feu, le voiturier.

— Si. Mais s'il est idiot tous les jours, il était saoul ce soir-là. Un ivrogne a des idées. La chose lui a paru louche, et il a inventé l'histoire de la poule-fantôme pour ne pas mettre en cause le curé.

Du perron des Quatre-Tilleuls, une des filles
Simplicie les regardait venir. A leur approche,
elle tourna le dos, rentra brusquement dans sa
boutique. Presque aussitôt le brigadier apparut
entre les arbres de la place dont il fit discrètement le tour avant de revenir ostensiblement
vers son chef, tournant le dos à son point de
départ.

— Il ne sort plus du cabaret celui-là, fit le
magistrat. Les gens racontent qu'il courtise la
plus jeune des filles Simplicie. Dame! pour un
veuf qui prendra sa retraite dans cinq ou six ans
l'affaire n'est pas si mauvaise... Dites donc, reprit-il en élevant la voix, d'où venez-vous, mon
ami?

— Monsieur le juge, il y a chez vous un curé
qui veut vous voir d'urgence...

— Hé bien, Grignolles, qu'est-ce que vous en
pensez? Sommes-nous servis, oui ou non? Tout le
diocèse passera dans mon bureau, devant ma
table, évêque en tête. J'ai envie de demander
qu'on nous adjoigne un docteur en théologie, et
une douzaine de chanoines casuistes, pas vrai?...

Au premier regard, le curé de Sommelièvres
apparaît comme l'un de ces doux qui posséde-
ront la terre mais doivent en attendant se conten-
ter d'y voir prospérer des animaux si différents
d'eux-mêmes qu'ils ne sauraient seulement oser
leur rappeler une promesse dont l'accomplisse-
ment risquerait d'ailleurs de les prendre tragi-
quement au dépourvu.

— Bigre! Un poids lourd! dit l'inspecteur à mi-voix.

Le prêtre leur tournait le dos, barrant l'étroit couloir de ses fortes épaules, et la double saillie des omoplates faisait luire dans l'ombre le drap usé de sa douillette. Au grincement des marches, il se retourna, et sa large face essaya vainement de traduire un autre sentiment que celui d'une surprise innocente née avec lui, et qui ne mourrait qu'avec lui.

— Monsieur le juge... respect... religieux respect...

Il s'inclinait naturellement devant l'inspecteur qui s'effaça, laissant son interlocuteur tête à tête avec le magistrat. La conscience de sa méprise amena sur les lèvres du prêtre un sourire déjà résigné.

— Entrez donc, fit le petit juge. Prenez la peine de vous asseoir.

Mais le curé de Sommelièvres se contenta d'appuyer sur le dossier de la chaise une main rose et lisse.

— Sortez, Grignolles, dit le magistrat, visiblement exaspéré.

— Monsieur le curé, reprit-il dès que la porte se fut refermée sur son interlocuteur, excusez mon impatience. Il n'y a eu déjà dans cette affaire que trop de malentendus, auxquels je me permets de dire que monsieur votre confrère, actuellement absent de Mégère, n'est pas étranger. Si donc, comme je le suppose, vous avez

quelque communication à me faire, je demande
qu'elle soit aussi nette et franche que possible.
Sinon je me verrais obligé de vous prier d'attendre une convocation, et je procéderais, le cas
échéant, à un interrogatoire en règle, recueilli
par mon greffier et signé de votre nom.

Le visage du curé de Sommelièvres exprima
une déception sans bornes.

— C'est que, finit-il par articuler d'une voix
à peine distincte, je ne suis qu'un... qu'un
simple...

— Intermédiaire, voilà le mot que j'attendais.
Ici personne ne se résigne à voir comme tout le
monde, avec ses propres yeux. On connaît, on a
rencontré quelque part, on a vaguement entendu
parler d'un tiers qui, lui... J'en deviendrai fou,
secrebleu!... Hé bien, non, monsieur le curé,
mille fois non! Dans ces conditions, j'aime autant
que vous gardiez votre témoignage pour vous.
Allons! de qui s'agit-il?

La question, si brutalement posée, prit le
malheureux prêtre au dépourvu.

— De Mme Monprofit, la propriétaire de l'hôtel du Pigeonnier à Saint-Romains... Mme Monprofit était jadis ma paroissienne. Elle m'a fait
visite avant-hier à Sommelièvres.

— Avant-hier? Ses déclarations ne paraissent
pas vous avoir beaucoup frappé?

— Sur le moment, non. Mais j'ai appris hier
soir, par un de mes confrères, qu'un de vos hono-

rables témoins prétend avoir vu... a parlé d'une femme qui...

L'excitation nerveuse du petit juge faisait place à cette espèce de torpeur presque heureuse qui annonce les grands accès de fièvre, et tandis que le sang battait à ses tempes, il ne pouvait détacher les yeux des larges joues de son interlocuteur que l'émotion marbrait de pourpre.

— Je pense que vous voulez parler du voiturier. Votre « honorable témoin » est un ivrogne, un simple ivrogne.

— Je... je l'ignorais. La chose m'avait donc un peu préoccupé, je l'avoue. Elle s'accorde curieusement avec le petit fait qui m'a été rapporté par ma paroissienne. Car vous savez sans doute que M. le curé de Mégère...

— Un instant! Vous le connaissez, vous, le curé de Mégère?

— Non pas. M. le curé de Mégère est nouveau venu dans le diocèse. J'ai seulement entendu longuement parler de lui, hier au soir, par mon confrère de Saint-Romains chez lequel vous n'ignorez pas qu'il a passé une heure dans la matinée le jour du crime. Venant de Grenoble par le premier train, le train ouvrier, il a cru pouvoir s'arrêter à Saint-Romains et reprendre le train suivant, ignorant certainement que ce train n'assure pas la correspondance de la patache.

— Qui vous a donné ces renseignements?

— M. le curé de Saint-Romains hier au soir, justement. M. le curé de Mégère et lui sont d'anciens camarades du séminaire. J'ajoute même qu'il a trouvé son ami nerveux, inquiet. Il semblait être sous le coup d'un ennui récent et n'osait y faire que de brèves allusions, très réticentes, ce sont les propres paroles de mon confrère, monsieur le juge.

— Quelles allusions? Et à quoi?

— A des responsabilités qui l'attendaient, auxquelles il ne se sentait pas préparé, qui le prenaient au dépourvu. Il s'est plaint aussi de... Mais je ne sais pas si je dois...

— Vous devez, monsieur! fit le petit juge âprement. Nous ne discourons pas ici d'un cas de conscience imaginaire. Il y a deux morts, monsieur.

— Monseigneur passe pour assez avare... Le diocèse est si pauvre! Le curé de Mégère se plaignait qu'il acceptât trop facilement des legs, des dons... Et chose plus surprenante encore, il a demandé s'il était vrai que la dame de Mégère eût l'intention de léguer tout son bien aux bonnes œuvres.

— Tiens!

La brusquerie de l'interruption fit sursauter le curé de Sommelièvres, et les deux hommes restèrent un moment silencieux, détournant ensemble la tête, comme s'ils craignaient d'échanger un regard.

— Revenons à votre déclaration du début, si

vous le voulez bien, reprit le petit juge. Vous disiez que Mme Monprofit...

— J'y arrive. Donc, en descendant du train, M. le curé de Mégère est descendu à l'hôtel, pour y prendre une tasse de café. Allant au presbytère, l'hôtel était sur sa route et par ce temps humide et venteux... Bref, il a demandé l'annuaire du chemin de fer et causé avec ma paroissienne. Leur entretien s'est trouvé interrompu par l'arrivée d'une personne... d'une cliente...

— Connue?

— Oui et non. J'ai cru comprendre qu'elle était déjà descendue deux ou trois fois à l'hôtel, pour peu de temps. Bref, cette personne alla s'asseoir non loin du curé de Mégère et ma paroissienne s'étant absentée un moment, fut très surprise de les retrouver l'un et l'autre si absorbés par une conversation animée qu'elle s'éloigna de nouveau par discrétion. Mais sa surprise fut plus grande encore de les voir sortir ensemble et s'éloigner sur la route du presbytère. Rapprochant ce fait de celui rapporté par votre honorable... par le voiturier, je me demande si...

— Allons, allons, il faut s'entendre! Ce n'est pas votre confrère qui a été assassiné!...

— Sans doute, sans doute. Mais il a disparu depuis, et les circonstances de... de ce départ que la malignité ne manquera pas d'interpréter comme... comme une espèce de dérobade... On peut croire qu'il a été attiré dans un guet-apens, monsieur le juge.

— Est-ce l'avis de M. le curé de Saint-Romains?

— Oh... une simple hypothèse...

— Entendu. Je le convoquerai demain.

— Permettez, permettez! Je ne pense pas qu'il puisse se rendre, si tôt du moins, à votre convocation. Il a dû partir ce matin, appelé par Monseigneur...

— Filé à Grenoble, quoi! hurla le petit juge hors de lui. Pourquoi pas à Lille, en Flandre? Sacrebleu de sacrebleu! Les courtes plaisanteries sont les meilleures, monsieur. La justice aura le dernier mot, monsieur.

A chaque parole articulée de cette voix de tête qui avait déconcerté tant de témoins, arrêté sur tant de lèvres, à l'instant où se court la dernière chance du crime, le « non »! sauveur, le curé de Sommelièvres reculait vers la porte. Il s'y heurta sur le seuil à Grignolles haletant.

— Patron... commença l'inspecteur.

Le magistrat tressaille toujours à ce mot grossier auquel son oreille ne peut se faire, et qu'il ne tolère d'ailleurs jamais en public.

— Vous!... dit-il.

Pourtant il n'acheva pas. En certaines circonstances, généralement décisives, sa timidité naturelle, soigneusement cachée d'ordinaire, le laisse brusquement sans défense.

— Rentrez d'abord, fit-il radouci.

L'énorme silhouette du curé de Sommelièvres s'engageait déjà dans l'escalier d'où montait un bruit de sanglots que recouvraient, par intervalles, les deux voix si étrangement jumelles des demoiselles Simplicie.

— Ils me feront crever, vous entendez, Grignolles.

— Pas le moment de blaguer, dit l'inspecteur livide. La petite bonne est en bas. Elle vient du château. Paraît que l'autre vieille est morte, ou en train de claquer. Quelle affaire!

La voiture les conduisit jusqu'à l'entrée du parc, mais ils durent monter à pied le chemin défoncé par l'hiver et qui éclate chaque automne sous la dernière poussée, plus sournoise, des énormes racines de pin, musclées comme des bêtes.

— Elle n'avait rien voulu manger ce matin, ni à midi, rien! disait la petite servante, reniflant des larmes imaginaires. Elle est restée dans la chambre. J'ai voulu faire la couverture. La porte était fermée en dedans, mais probable que Mme Louise avait oublié de pousser à fond le verrou du cabinet de toilette. En poussant voilà que je suis rentrée. Couchée dessus son lit, en travers, qu'elle était, pauvre dame! Le pis, comme pour l'autre, c'est que je voyais ses yeux grands ouverts, oui, monsieur. C'est pas croyable!

Le docteur, venu par les pâtures, les attendait au haut du perron.

— Rien à faire, dit-il. Une injection massive de morphine. Trois ampoules sur la table de nuit, et j'ai retrouvé la quatrième dans le lit, sous ses cuisses.

— De la morphine!

— Oh! ne vous frappez pas : c'était une habituée de la drogue. Ces vieilles-là, voyez-vous, ça tient parfois mieux le coup que les jeunes. Le suicide n'est pas sûr. Possible qu'elle ait seulement forcé un peu la dose. Il y a des cas de saturation sournoise, traîtres en diable. Le système nerveux réagit mal, l'euphorie tarde à venir, ils en remettent et le cœur s'effondre.

Le petit juge s'approcha du lit en silence, ramena les couvertures sur les jambes nues et s'appuya au mur pour ne pas tomber.

— Qu'est-ce qui vous prend, mon cher? fit le docteur avec une compassion ironique. Ouvrez la fenêtre, monsieur Grignolles.

Il fixa plus attentivement la face marbrée, les oreilles pourpres, le regard à la fois épuisé, presque hagard, mais flamboyant.

— Dites donc! Ça ne va pas?

Ses doigts se refermaient déjà sur le poignet d'un geste professionnel.

— Une fièvre de cheval, mon bon. Vous feriez mieux d'aller vous coucher.

— Un moment! fit le petit juge qui sentait

monter de ses reins, tout à l'heure glacés, un feu
sombre dont il croyait voir le reflet au fond de
ses globes oculaires douloureux, à chaque mouvement trop brusque des paupières.

Il montrait du doigt un de ces meubles minuscules, presque invisible à l'angle le plus obscur
de la pièce.

— Donnez-moi l'enveloppe, Grignolles. De la
lumière, sacrebleu!

L'inspecteur tira sa lampe électrique et tandis
que le docteur feignait d'examiner discrètement
la seringue Pravaz brisée qu'il tournait et retournait entre ses paumes, ils lurent ensemble :

« Que la justice n'inquiète personne au sujet
de la m... que je me donne libr... Tous les coupables m... Rech.... inut... Mobile du crime.
Interrogez M. Sautemoche. Femme dure, in-
juste. Emporté secret dans la tombe. La justice
devra fermer la bouche de certaines personnes
dont la langue distille un venin pire que celui
de la vipère. Expiation. Réparation et expiation. Pour tous. Silence. Curé de Mégère (Couvent. Suicide). Fin : honneur au curé de Mégère, honneur à ce martyr. »

— Drôle de charabia! fit Grignolles.

Mais le petit juge lui arracha le papier des
mains et marcha en chancelant jusqu'à la cheminée pleine de cendres dont il fit glisser entre
ses doigts la poudre impalpable. Puis il tourna
vers le docteur un regard ivre.

— Sérieusement, mon cher, vous feriez mieux... Je vais vous reconduire à l'hôtel.

— Pas question de ça. Concluez-vous au suicide, oui ou non?

— Dame, il me semble...

— Pardon! Je ne discute pas l'intention du suicide. Peut-on seulement supposer — si j'ai bien compris, l'hypothèse ne vous semblait pas absurde tout à l'heure — qu'ayant à prendre certaines dispositions plutôt pénibles — une rédaction testamentaire difficile, par exemple — la vieille dame ait, selon votre propre expression — un peu forcé la dose, la première dose — et soit morte avant... d'avoir pu venir à bout de son travail.

— Evidemment. Mais...

— Mon cher, dit le petit juge — il croyait sans doute essuyer les verres de ses lunettes et frottait gravement de son mouchoir une des longues branches d'écaille — nous avons entre les mains la version informe, le brouillon, si vous voulez, d'un texte qui n'a pas été rédigé, qui devait l'être. D'ailleurs, vous remarquerez qu'il est daté de demain, non d'aujourd'hui. La malheureuse a dû le glisser sous l'enveloppe par mégarde, au moment où... elle a dû perdre connaissance plus ou moins, et se traîner jusqu'à son lit. Vous venez avec moi, Grignolles? Le sort en est jeté maintenant : dussé-je crever, je ne lâcherai pas l'instruction.

Arrivé dans sa chambre, il se laissa tomber sur le lit, et son regard était celui d'un homme heureux.

— Faites-moi donner du punch, Grignolles. Oui, du punch! Je vais me saouler pour la seconde fois de ma vie. Ah! jeune homme, vous avez une idée dans la tête, moi aussi, je doute seulement que ce soit la même, hé? Passez-moi le thermomètre médical, là, dans mon sac. Il ne me quitte jamais : une manie de célibataire. Ecoutez, Grignolles, j'ai donné rendez-vous ce soir à l'héritière. Je la recevrai aussi bien dans mon lit, pourquoi pas? Trente-neuf huit, ces thermomètres boches sont épatants. L'héritière! Il s'agit d'ouvrir l'œil, mon ami. Evidemment, je crois la pauvre fille bien incapable de... de casser les reins de qui que ce soit, mais on la dit très secrète, très renfermée — les renseignements sont sûrs. Remarquez d'ailleurs qu'elle n'a quitté son chef-lieu qu'avant-hier, inutile de se monter la tête. Mais on apprend presque toujours quelque chose des imbéciles égarés dans un drame — les imbéciles sont comme les portes, les ouvre qui veut, mais comme les portes aussi on oublie parfois de les fermer. Pourquoi me regardez-vous avec ces yeux-là? Vous me croyez fou?

— Non, patron. Seulement...

— Hé bien, quoi? j'ai eu un moment de dépression. Cela peut arriver à tout le monde. Si je vous disais qu'il n'y a pas deux heures j'étais

presque décidé à ne pas coucher une nuit de
plus ici... Que voulez-vous! On n'est pas maître
d'impressions pénibles, on les subit. Tenez, une
question : rêvez-vous?

— Si je rêve?

— Je veux dire : vous arrive-t-il de faire des
rêves — non pas de ces rêves qui ne sont
qu'images désordonnées à la réalité desquelles le
dormeur lui-même ne croit guère, mais de vrais
rêves, des rêves dont la logique et la vraisem-
blance sont telles qu'ils semblent se prolonger
au-delà du songe, prennent leur place dans nos
souvenirs, appartiennent à notre passé?...

L'effronterie de Grignolles est légendaire,
mais cela n'a pas réussi encore à lui faire
oublier ses débuts difficiles et ces humiliations
d'autant plus douloureuses à un homme qui,
selon l'expression populaire si naïve et d'ailleurs si pathétique, « s'est fait lui-même », qu'il
a dû les subir sans les comprendre. Les mots
abstraits, les phrases savantes réveillent en lui
une timidité naturelle que le cynisme ne
recouvre qu'à peine, et il y répond dans son
langage, avec l'accent du faubourg :

— Des fois.. dit-il humblement.

Le petit juge délaçait ses bottines qu'il jeta
loin de lui, vers sa table de toilette, à la volée,
puis il marcha vers le secrétaire, fouilla les ti-
roirs, et s'approchant de la fenêtre s'absorba dans
l'examen de la photographie, qu'il finit par
poser sur la table de nuit, avec un grand soupir.

— Oui, mon cher, reprit-il en glissant l'une après l'autre hors de son pantalon ses jambes blondes et douillettes, j'arrive à douter de certains faits pourtant récents, parce qu'ils s'accordent trop bien avec... avec mes rêves, de simples rêves, pas moyen d'appeler ça autrement.

— Vous avez sûrement besoin de repos, fit Grignolles perplexe. Ça ne vous servirait à rien, patron, de vous tourner les sangs.

— Je n'ai jamais été plus raisonnable, protesta le petit juge. Quel dommage qu'un métier comme le nôtre ne fasse au fond qu'une part si médiocre à l'inspiration! Il y a en moi quelque chose, une sorte de préjugé — pis encore — un respect humain, une pudeur, voilà le mot — oui, une pudeur imbécile qui me retient d'utiliser franchement un rêve. Mais qu'est-ce qu'un rêve, Grignolles, après tout? Dans le sommeil, notre cerveau travaille à sa guise, libre de toute idée préconçue, capable de n'importe quelle audace...

— Le fait est, remarqua poliment Grignolles, que l'esprit continue à travailler la nuit. Je me souviens qu'en 1922...

— Ne vous souvenez pas. Inutile! Accrochez plutôt mon pardessus au portemanteau. Lorsque arrivera l'héritière...

La surprise ou l'admiration ramena sur les lèvres de l'inspecteur ces formules de la défé-

rence servile dont il avait eu jadis tant de peine
à se corriger.

— Monsieur le juge ne va pas... Souffrant
comme est Monsieur le juge... Voyons, patron,
je pourrais toujours...

— Rien ou tout! Je lui parlerai seul.

Il s'étendit jusqu'au fond du lit en geignant
de plaisir.

— J'ai déjà mes petits renseignements sur la
gouvernante, Grignolles, mais provisoirement je
préfère les garder pour moi. Ce suicide a failli
me casser les bras, mon cher! N'importe : de ce
côté-là aussi vous devriez commencer à déblayer.

— D'accord, j'ai même idée d'en dire deux
mots à Gassicourt. Une vieille folle morphino,
la brigade spéciale a peut-être entendu parler
de ça.

— Bien sûr. Rien de plus facile que de suivre
un de ces types-là dans la vie : aussi facile que
de repérer les bonshommes en plein Sahara lorsqu'on connaît les points d'eau. Avec ça qu'ils
tiennent à leurs habitudes. J'ai connu jadis une
Américaine qui se fournissait depuis douze ans à
un danseur nègre de la rue Caulaincourt. Le
nègre coffré, elle n'a pas eu le courage de chercher un autre fournisseur, elle s'est coupé la
gorge, rac! Et maintenant, mon vieux, envoyez-
moi l'héritière, et filez.

Il tendit à l'inspecteur une main sèche et
brûlante, ramena les draps jusqu'à son menton
et ferma les yeux.

— Allumez la lampe, dit-il encore. Au fait, si le Lys dans la Vallée est en bas, ne la laissez pas monter tout de suite, j'ai besoin de réfléchir dix minutes.

— Le patron travaille du chapeau, dit Grignolles au docteur qui faisait le plein de son réservoir à la pompe des demoiselles Simplicie.

— On croit ça, répliqua le médecin de Mégère, philosophe. La grippe, cet hiver, débute mal : des températures du tonnerre de Dieu. On ne sait jamais si le cœur ne flanchera pas, c'est embêtant. Malheureusement j'ai une visite urgente à Trévières. Je le verrai ce soir.

— On ne va tout de même pas lui laisser faire des bêtises!

— Quelles bêtises?

— Il s'est mis dans la tête de recevoir la demoiselle de Châteauroux arrivée hier — la nièce, quoi! l'héritière.

— Et après? Elle ne va pas le manger? Voyez-vous, Grignolles, je connais Frescheville depuis presque aussi longtemps que vous. C'est un bonhomme très fort, avec son air rondouillard et son sacré bête de nez à la Roxelane. Mais il se croit encore plus fort, comprenez? Ça le perdra. D'ailleurs, je ne l'ai pas vue ici, votre héritière... Dites donc, Simplicie, personne n'est venu pour Frescheville?

La vieille fille glissa vers l'inspecteur un regard oblique.

— Sûr qu'on est venu, fit-elle de sa voix aigre. On est venu, et on revient. Tenez, la voilà au bout de la place. M. le juge avait dit six heures. Faut toujours savoir ce qu'on veut.

Elle tourna le dos et s'enfonça de nouveau dans les ténèbres de la boutique où elle attendait depuis tant d'hivers elle ne savait quoi — heur ou malheur — entre les barils de saurets.

L'héritière avançait à petits pas, visiblement intimidée par l'hypocrite solitude de la petite place vers laquelle convergent de toutes parts les rayons flamboyants des vitres. Après un dernier arrêt devant le ruisseau boueux, elle cessa d'hésiter, se dirigea droit vers la porte de l'hôtel.

— Mademoiselle, commença Grignolles, je suis chargé par M. le juge d'instruction Frescheville...

Il reculait doucement, cherchant sournoisement à se placer lui-même à contre-jour, mais elle continuait de lui faire face. Derrière le voile baissé à peine distinguait-il son regard.

— Monsieur?... dit-elle.

— Grignolles, inspecteur de la brigade de Lyon.

Elle glissa doucement une de ses mains jusqu'à son front, découvrit un visage pensif, aux yeux myopes.

— Je venais voir M. le juge, dit-elle.

Son accent n'était pas celui du reproche, mais

d'un étonnement poli. Néanmoins il embarrassa l'inspecteur.

— M. le juge est malade, interrompit-il presque grossièrement. Je crois qu'il vous faudra remettre votre visite à demain, ou plus tard peut-être.

— Je dois quitter Mégère demain soir, reprit-elle. Certaines formalités me sont trop désagréables à remplir dans... dans certaines circonstances... Bref, il me semble que je dois à la mémoire de ma tante...

Elle n'acheva pas, posant sur ses lèvres, avec une toux discrète, sa main gantée de noir.

— Cet héritage est tellement inattendu... J'aurais trop de scrupule à hâter... à paraître hâter... Enfin, monsieur, il m'est réellement pénible de recevoir une fortune des mains qui... qui se sont refusées jusqu'au dernier jour à mon père...

— Une fois riche... commença l'inspecteur.

Mais elle le regarda droit dans les yeux, sans répondre. Il voyait maintenant son visage en pleine lumière, et s'étonnait de le trouver si différent de ce qu'il avait imaginé, avec on ne savait quoi de distrait qui semblait déjouer d'avance ses grossières ruses, mettait hors de portée cette fille étrange. La myopie, sans doute, accusait encore le caractère singulier des traits d'ailleurs beaucoup plus fins et spirituels qu'on eût pu l'attendre d'une provinciale dévote, mais les paupières closes, il se marquait encore au vague sourire des lèvres, au pli du petit front bombé.

Elle fit un pas vers la porte et Grignolles comprit que cette proie bizarre allait lui échapper à jamais. Une minute de plus et sa curiosité se fût probablement lassée, mais si légère que fût sa déception, elle n'en éveilla pas moins au fond de lui le réflexe professionnel du chasseur d'hommes.

— Veuillez attendre une seconde, dit-il. Je vais toujours prévenir mon chef.

Il avait prononcé la phrase presque sans réflexion, et aussitôt il eut le sentiment de s'être mis — selon une de ses expressions favorites — dans la gueule du loup. Il monta quatre à quatre l'escalier, comme on s'échappe.

— L'héritière est en bas, patron.

A sa grande surprise, il trouva le petit juge assis au pied du lit, les jambes enveloppées dans sa couverture de voyage, son pardessus jeté sur les épaules. Les joues, de plus en plus rouges, avaient pris le ton doré de certains émaux.

— Il n'y a pas de quoi crier au feu, dit-il avec beaucoup de calme. Qu'est-ce que vous attendez maintenant? Faites-la monter.

— Sérieusement, patron, je pourrais d'abord...

— Ah! non, Grignolles, ne vous payez pas ma tête! Croyez-vous que j'aurais pris la peine de me lever, avec une température de quarante et deux dixièmes — oui, monsieur — pour enta-

mer avec vous une controverse académique?
Faites-la monter, sacrebleu!

L'inspecteur redescendit l'escalier en grommelant, et il faillit se heurter à l'héritière
debout sur le premier palier, dans l'ombre.

— Ecoutez... commença-t-il, je vais vous prévenir... Tenez-vous tellement à le voir maintenant, le juge?...

Elle haussa les épaules et tirant de son sac une
paire de lunettes cerclées d'or, les glissa de travers sur son nez.

— Parce qu'à vous parler franchement, il a
pigé une grippe, une fameuse grippe... Mais si
c'est quand même dans votre idée de monter,
restez pas trop longtemps, j'arrangerai ça. Entre
nous, je comprends que vous ayez hâte de filer,
le pays est plutôt macabre, brr!...

— Monsieur, dit-elle avec son plus étrange
sourire, chez nous non plus ce n'est pas gai...

Elle remit tranquillement ses lunettes dans
son sac, monta l'escalier, disparut. Une seconde
après il entendit grincer la serrure.

— Pour culottée, elle l'est, fit-il entre ses
dents. Je crois bien qu'elle est entrée sans
frapper. Avec ça qu'il y a trois portes dans le
couloir, comment diable a-t-elle reconnu la
bonne?

Il s'assit philosophiquement sur une marche
et commença de repasser, avec méthode, le pli
de son pantalon. Un instant l'idée lui vint de

se rapprocher de la chambre du juge mais il
réfléchit que la portière de cretonne doublée, à
la mode antique, d'épais molleton, lui laissait
peu de chance de satisfaire sa curiosité. Il s'expo-
sait, en outre, de la part du magistrat surexcité,
presque délirant, à quelque humiliation cui-
sante. La tête entre les mains, il s'efforçait de
fixer son attention sur le murmure confus qui,
à travers la cloison vitrée, venait à lui du magasin des Quatre-Tilleuls. A plusieurs reprises, il
crut même reconnaître la voix du brigadier, et
entendre prononcer son nom. Le temps s'écou-
lait ainsi sans qu'il y prît garde, et tout à coup
le craquement d'une lame de parquet l'éveilla
comme d'un songe.

La demoiselle de Châteauroux était derrière
lui, une main posée à plat sur le mur, le visage
penché vers le sien.

— Vous devriez monter, monsieur, dit-elle
d'une voix douce. J'ai un peu l'expérience des
malades, et je crois que... Il a beaucoup de fièvre
et il ne sait... il ne sait réellement plus ce qu'il
dit.

— Hein? Quoi? Par exemple! Et ce sacré
docteur qui ne revient pas!

Elle avait déjà descendu deux marches, tourna la tête et sourit.

— Ne vous inquiétez pas, fit-elle. J'ai pensé
simplement que je risquais de le fatiguer pour
rien. Mais ces accidents-là ne sont pas graves, au

début d'une forte grippe. Donnez-lui de l'aspi-
rine, voilà tout.

Son ton était celui de l'indifférence courtoise
et il en imposait à l'inspecteur qui balbutia :

— Qu'est-ce qu'il fait?

— Je pense qu'il s'est endormi, dit-elle. Il
m'avait demandé de s'étendre sur son lit. Il a
parlé encore un moment et... Ne le réveillez pas,
monsieur! reprit-elle comme il empoignait la
rampe.

Mais en deux bonds il fut au haut de l'escalier. Le patron semblait dormir paisiblement, et
même son visage avait perdu ce teint de pourpre
cireuse qui avait paru à l'inspecteur, quelques
moments plus tôt, si bizarre. Il semblait même
presque pâle sous ses cheveux noircis et collés
par la sueur. Une minute Grignolles hésita, puis
marcha sans bruit vers la fenêtre et souleva le
rideau. La place était vide. « Déjà filée! » mur-
mura-t-il à voix basse.

— Qu'y a-t-il, mon cher? A qui parlez-vous?

Le petit juge s'était dressé dans son lit, un
coude posé sur la table de nuit.

— Comment ça va, patron?

— Pas mal. Beaucoup mieux... Me lèverai demain...

— En attendant, vous feriez mieux de dormir.
Le docteur a promis de passer ce soir après sa
tournée.

— Je... me fiche du... docteur, bredouilla le
malade d'une voix pâteuse. Restez là une mi-

nute... Voyons... Voyons... où en sommes-nous?...
Sacrée grippe! Je me sens de mieux en mieux,
et... pas capable de joindre deux idées ensemble...
Ça colle au cerveau comme un caramel au
palais...

Son regard épiait en dessous Grignolles, avec
l'expression à la fois humble et fanfaronne d'un
homme dont la mémoire hésite, titube, et qui
répugne à l'avouer.

— Curieuse fille, dit-il... Très curieuse. Hein?
Il cligna de l'œil vers la porte.

— J'ai raté mon effet. Tombais de sommeil.
Une sorte d'étourdissement, mon vieux... Ridicule... J'ai été ridicule. Pas vrai?

— Voyons, patron, comment voulez-vous que
je vous réponde? Je viens d'arriver, je n'étais
pas là.

Il regrette aussitôt sa phrase, mais l'embarras
croissant du petit juge luttant contre le délire et
lui disputant on ne savait quel secret, avait quelque chose de funèbre...

— Je le sais bien, parbleu! Est-ce que vous me
prenez pour...

Mais il n'imposa pas plus longtemps à ses
traits une expression si peu en accord avec sa
grandissante angoisse : la face ronde et joviale
parut s'affaisser tout à coup, la bouche cessa de
sourire, eut le pli de la nausée.

— Ce sont ces satanés rêves, balbutia-t-il. Que
voulez-vous? Il y a évidemment des ressemblances
extraordinaires. Avouez tout de même que re-

prendre comme ça, en plein jour, avec une créature de chair et d'os, la conversation commencée
la nuit précédente avec un personnage imaginaire, un fantôme — rien — c'est plus qu'il n'en
faut pour vous mettre la cervelle à l'envers, hein?
Mais il y a la photo. Sans doute, de douze à
trente, une fille peut changer. N'importe, voyez
vous-même... Tonnerre! Où est ma photo?

Il lança hors des draps ses courtes jambes et
repoussant des deux mains l'inspecteur, il essaya
vainement de se mettre debout.

— Allons, patron, du calme!... Quelle photo?

— Inutile maintenant, reprit le petit juge faisant visiblement, pour dissimuler sa déception
aux yeux d'un collaborateur d'ailleurs peu bien-
veillant, un effort immense. Une simple photo
trouvée au presbytère, l'autre jour... Ça m'ap-
prendra, mon cher, à tourner de l'œil devant
une ingénue berrichonne... La futée l'aura subti-
lisée sous mon nez, à ma barbe.

Il essaya de rire, promenant les mains sur son
front ruisselant. Sa voix restait calme mais
l'oreille exercée de l'inspecteur y distinguait une
sorte de résonance métallique. « Il avait l'air de
parler au fond d'une boîte de fer-blanc », dira-t-il
plus tard.

— Est-ce que vous allez vous tenir tranquille?
demanda le docteur de Mégère, surgi brusquement devant eux. On m'annonce que vous dor-
mez, je monte l'escalier sur la pointe des pieds,
pour vous entendre bavarder comme deux maraî-

chères à la foire de Verchin. Monsieur Grignolles, allez m'attendre un moment dans le couloir. Et vous, Frescheville, donnez votre pouls...
Là!

— Mauvaise affaire, fit-il quelques minutes
plus tard à l'oreille de l'inspecteur. Le cœur est
faible, les deux bases ont l'air de s'engorger. Je
vais toujours relever le pouls. Hé bien, mon
cher, sans vous offenser, je trouve que vous avez
aussi une drôle de tête. Intéressante l'histoire
qu'il vient de vous raconter?

— Oui et non. C'est-à-dire que j'aurais besoin...

Mais le médecin de Mégère lui barra la route.

— Non, Grignolles, non! Assez pour ce soir!
Vous ne savez pas qu'avec une pareille fièvre
nous sommes à la merci d'un raté cardiaque,
mon cher!

Il lui tourna le dos, et fit brutalement claquer la porte.

— Excusez-moi, dit-il au petit juge. Votre
diable d'inspecteur a le don de m'exaspérer...

— Un... un idiot. Pas toujours mauvais lorsqu'il se débrouille tout seul, mais un... collaborateur impossible. Que voulez-vous? il a l'oreille
du... du procureur. Paraît qu'ils vont faire la partie ensemble à... à Grenoble, chez les filles...
S'agit pas de ça. Répondez-moi franchement,
docteur. Est-ce que je...

— Rien de grave, si vous êtes sage. Donnez-
moi votre thermomètre, et tâchez d'oublier un

jour ou deux la veuve Beauchamp, sa gouvernante et votre satané curé de Mégère.

— Oui... Figurez-vous qu'il vient de... de se
passer en moi un... un phénomène assez... assez
curieux, inquiétant même. La demoiselle de
Châteauroux... la nièce, l'héritière, quoi, vous
comprenez?... sort d'ici, oui, de ma chambre... Je
lui parlais... comme je vous parle... et tout à
coup... plus rien... je ne l'ai même pas vue filer,
mon cher.

— Syncope... petite syncope. Dame, avec une
température pareille...

Le médecin de Mégère trempait délicatement
sa seringue dans l'éther. Il s'arrêta, le petit doigt
levé, la tête penchée sur l'épaule droite, avec
l'expression habituelle aux hommes de son état,
cette espèce de sourire câlin, équivoque, qu'il
arrive aussi de retrouver parfois au visage de
vieilles entremetteuses, sinistre et funèbre œil-
lade de l'amour ou de la mort...

— Depuis trois jours, je ne me reconnais plus,
avoua tristement le petit juge, je rêve éveillé,
voilà le mot. C'est un état peu ordinaire pour un
juge d'instruction chargé d'une affaire si délicate...

— N'exagérons pas. Surexcitation nerveuse,
rien de plus.

— Peut-être. Il faudrait que je vous
explique...

— Expliquez ce que vous voudrez. Je suis là

pour vous entendre, et vous n'en irez que mieux après. De petites hallucinations, quoi?

— Rien de pareil. Mon Dieu, j'avoue que mon cerveau a toujours beaucoup travaillé la nuit, je dors peu. Mais depuis le début de cette malheureuse affaire...

— Cauchemars?

— Hé non! Que reste-t-il d'un cauchemar après le réveil? A quoi peut servir un cauchemar? Au lieu que?... Tenez, mon cher, supposez qu'une idée me vienne en rêve. Bon. Ça arrive à tout le monde. Si j'ouvre les yeux, pfutt!... l'idée s'envole. N'empêche qu'elle est accrochée là, quelque part, dans un recoin de mon cerveau comme une chauve-souris aux poutres du plafond. Mais avouez que la chose se gâte, si bêtes de jour et bêtes de nuit se laissent tomber pêle-mêle et commencent leur ronde?

Le médecin de Mégère retroussant sa manchette sur son bras velu poussa délicatement l'aiguille, la retira d'un coup sec, effleura la peau d'un tampon d'ouate et tournant sur ses talons comme une danseuse, jeta dans l'âtre le flocon blanc imbibé d'éther.

— Après tout, dit-il, dans votre profession — et dans la mienne aussi, d'ailleurs — le résultat seul importe. Il y a des gens qui ont gagné le gros lot grâce à un chiffre vu en rêve. Si le juge d'instruction finit par mettre la main sur le coupable, qui s'inquiétera de l'aide apportée

en secret au magistrat par l'homme d'imagination, par le poète?...

— Sans doute... sans doute... Seulement des
poètes comme nous, mon cher, ne jonglent pas
avec des rimes, mais avec des réputations, des vies
humaines... Une rature sur la page blanche, c'est
trop souvent une tête coupée.

— Hé bien, Frescheville, que voulez-vous que
je vous dise... parlez franchement au procureur.

— Jamais! protesta le petit juge. Si je dois
crever ici, j'emporterai mon secret dans la tombe,
comme disent les romanciers feuilletonistes. A
moins que... Ecoutez, docteur, j'aimerais tout de
même que vous en sachiez quelque chose — juste
de quoi leur en dire deux mots, au cas où...
Deux mots — pas plus — et ça ferait encore une
jolie pierre dans la mare aux grenouilles. Aux
grenouilles, hé bé!... justement... Notre procureur ressemble assez à ça, pas vrai? Quand je
pense que ce batracien gobe l'une après l'autre
les plus jolies filles de Grenoble, ça ne me donne
pas une riche idée du sexe, parole d'honneur.

Mais le médecin de Mégère dédaigna de relever la plaisanterie. Assis au bord du lit, le bras
élégamment passé autour d'un des barreaux de
cuivre, il gardait un silence glacé, plus pressant,
plus impérieux qu'une prière.

— Voyez-vous, dit le petit juge, sans moi,
avant quinze jours, ils auront donné leurs
langues au chat... Pas plus bêtes que d'autres,
peut-être, mais aucune imagination, aucune

audace... Oh! j'avoue que l'affaire est exception-
nelle... On ne rencontre pas deux affaires pareilles dans sa vie... Mais... mais il y a le curé
de Mégère...

— Une personnalité bien attachante, fit le
docteur de sa voix la plus neutre.

— Il est l'acteur principal, poursuivit le petit
juge avec une exaltation soudaine — le centre,
le pivot — il est au centre même du crime!

— Hein!

— Oh! je ne le crois pas capable d'assassiner
les vieilles dames, naturellement... Mais si mon
hypothèse est bonne, si ce prêtre extraordinaire
joue ici un rôle, nul doute que ce rôle ne soit
capital. J'ai d'ailleurs pour sa personne une...
une espèce d'admiration. Qu'il ait commis une
faute — même si cette faute n'en est pas une au
regard de la loi — je serais attristé de devoir
lui attribuer des motifs bas, ou seulement vul-
gaires... Mais l'évidence est l'évidence... Et j'ai
acquis la conviction d'un secret commun au curé
de Mégère et à... cette dame Louise, mon cher...

— Pour celle-là...

— Oui. Que voulez-vous? En de telles
conjonctures, et sur des suppositions si... si fra-
giles en somme, la règle est de séparer les deux...
disons les deux suspects — d'éloigner l'un, de
garder près de soi le moins résistant, le moins
coriace...

— Juste.

— Mais c'est la vieille qui est partie le plus loin?

Les yeux du petit juge brillèrent de nouveau d'un éclat funèbre, et le creux soudain des joues fit paraître presque pointu le nez balzacien.

— Je ne m'attendais pas à ce suicide, dit-il piteusement. Pas du tout.

— Ce n'est qu'une comparse de moins. Vous finirez bien par le rattraper, votre curé de Mégère!

— Possible. Mais la vieille femme n'est pas ce qu'on pense... Mes renseignements doivent être contrôlés, soit. J'attendrai donc pour en faire état. Néanmoins... Oh! il ne s'agit que d'une période obscure de sa vie — pas grand-chose — quelques mois. Quelques mois sur tant d'années! Bref, en 1902, cette religieuse aurait quitté le couvent pour aller accoucher d'une fille.

— Et après?

— Minute! Vous entendez dire qu'une châtelaine octogénaire a été assassinée, une nuit, dans une tranquille maison de campagne, entre une vénérable gouvernante et une bonniche de quinze ans, vous concluez que le crime n'a pas dû germer là, que la graine en aura été apportée d'ailleurs. Mais si vous apprenez que la vénérable gouvernante... oh! l'amant ne m'importe guère, notez bien! D'autant qu'après... Mon Dieu, après, il n'y a rien à lui reprocher, tout est clair. Gouvernante à Mâcon, institutrice à Quimper,

gérante d'une pension de famille à Brest... Mais
qu'elle ait pu dissimuler trente ans, voilà ce
qui met en garde, mon cher. Je ne parle pas de
mensonges : le menteur habituel est un escroc-
né, rien de plus — trop instable pour les vrais
risques. La fidélité à un seul mensonge est un
signe autrement grave. Une longue dissimulation doit faire éclore un jour ou l'autre le
drame que chacun de nous porte en soi, à son
insu. La dissimulation couve le crime...

— Pardon, remarqua le médecin, songeur.
Encore faut-il savoir si elle a dissimulé l'enfant
ou seulement la faute. Bref, l'enfant peut être
mort.

Les joues du petit juge s'empourprèrent.

— Je n'ai... je crois l'avoir retrouvé, dit-il...
ou du moins...

— Permettez! En ce cas il serait encore hardi
de conclure. Rien ne prouve que la vieille ne
s'est pas simplement désintéressée de lui.
Oublier et dissimuler font deux...

— J'avais des raisons de pencher pour la seconde hypothèse. Et le suicide la confirme. Que
voulez-vous de plus, mon cher? En vingt-quatre
heures je me chargerais de démontrer que loin
d'avoir oublié sa fille — car c'est une fille —
la vieille est morte dans l'espoir de la sauver.

— Une fille?... Ah! ah! Vous en êtes sûr?
Alors, zut! Car j'avoue que ces histoires fabu-
leuses commençaient à me monter à la tête et

vous flanquez brutalement du premier coup mes
déductions par terre...

— A qui pensiez-vous?

— Franchement — excusez-moi, c'est idiot —
je pensais au curé de Mégère...

— J'ai fait cette supposition avant vous, dit
le petit juge en se grattant le nez. Malheureusement l'état civil et les faits sont d'accord.
Aucune issue.

Il éclata de rire.

— Alors, quoi? L'héritière?

— Rien de ce côté-là non plus... Mais il y
avait la photographie, reprit-il avec une sorte de
dignité comique, si peu en rapport avec l'expression presque égarée de son regard que le docteur
se sentit froid dans le dos.

— Quelle photographie?

— Une photographie trouvée au presbytère
l'autre matin.

Les lèvres minces du docteur dessinèrent une
moue d'ironie, d'ailleurs tempérée par la compassion professionnelle.

— Entre nous, Frescheville, assez causé. Vous
feriez mieux de dormir.

— Oui. Dites tout de suite que je délire, ne
vous gênez pas. Frais comme l'œil, pourtant,
mon cher! Et si je vous montrais cette photographie...

— Montrez-la-moi...

— Impossible. N'importe. Figurez-vous une
de ces photographies jaunies, tavelées, piquées

de chiures de mouches. Là-dessus, tournant le
dos à une toile peinte... Ne souriez donc pas
comme ça, chacun son métier, que diable! Et
voyez-vous, docteur, j'ai remarqué depuis longtemps qu'à toute affaire un peu... originale... cor-
respond, — je n'ose pas dire un type humain
bien déterminé, non! — mais enfin...

— Par exemple!

— Entendons-nous : vous ne refuserez pas
d'admettre qu'il puisse exister entre des indi-
vidus plus ou moins liés par le même secret, les
mêmes mensonges, une certaine ressemblance
— ce que les bonnes gens appellent un air de
famille! — L'air de famille, c'est tout, et ce
n'est rien, ça échappe aux classifications ordinaires, il faut plus que de l'œil pour le reconnaître, un don... une faculté. J'ai ainsi une
vieille parente un peu folle qui repère jusqu'à
des cousinages éloignés.

— Bon. Mais, permettez : une photographie
de qui? de quoi?

— D'une jeune fille de douze, quatorze ans
peut-être, pas davantage... Une pensionnaire,
avec sa natte sur l'épaule dans une méchante
robe de serge, à col blanc... Seulement... Une
grimace des lèvres, un regard — et ce je ne sais
quoi dans le front! — Nous n'oublions jamais
ces têtes-là, nous autres. Bref, je me suis dit : je
la retrouverai!

— Vous l'avez retrouvée?

— En chair et en os, mon vieux. Elle sort d'ici.

— Ça, par exemple, Frescheville! Même inspiré chaque nuit par des songes, vous n'allez pas me faire croire que vous êtes, du premier coup, capable de retrouver sans hésiter, sous les espèces d'une femme de trente, une fille de douze ans! Et qui vous prouve que la fameuse photo appartienne au curé de Mégère? Vous seriez joliment surpris d'apprendre que la pensionnaire mystérieuse est une parente de Mme Céleste, ou même de l'ancien curé?...

— Sans doute, sans doute, répliqua le petit juge. (Il cherchait fébrilement son mouchoir sous le traversin, et de guerre lasse finit par éponger d'un coin du drap son crâne rose.) Mais alors, pourquoi — comment expliquerez-vous — qu'elle me l'ait si adroitement escamotée, cette photographie, notre demoiselle de Châteauroux?... Car j'avais posé l'objet là, sur ma table, juste assez en vue pour qu'on le remarquât, et suffisamment caché pour qu'on pût l'observer à loisir, même à travers les cils, comprenez-vous? Hé bien, le temps de perdre connaissance — oh! quelques secondes à peine — je ne retrouve plus ni la photo, ni la demoiselle de Châteauroux. Ah! ah! Qu'est-ce que vous dites de ça?

— Pas grand-chose. Des faits troublants, soit. Et encore je me demande si je les vois tels quels, ou à travers votre imagination si curieuse, si passionnée... Pour juger de leur importance, d'ailleurs, il faudrait savoir exactement à quoi ils peuvent servir, quel parti vous en tirez, en faveur de quelle hypothèse. Car enfin, Frescheville, ou vous vous suggestionnez vous-même, ou vous me cachez le principal?

Une fois de plus, les traits du petit juge trahirent une émotion singulière, et il avala douloureusement sa salive.

— Le curé de Mégère, commença-t-il.

— Parlons-en! Il court encore, votre curé, fit le docteur avec un méchant rire.

— Oh! pardon, un lièvre aussi court vite. Mais si votre chien garde bien la voie, qu'est-ce que ça peut vous fiche? Vous fumez tranquillement votre pipe à l'endroit précis où vous n'aurez qu'à serrer la détente, le moment venu, pour rouler votre bête... Or, l'enfant de chœur, mon cher...

— Celui-là, par exemple! Possible qu'il garde bien la voie. Seulement, à votre place, je me demanderais s'il est fidèle!

— Fidèle? Pas du tout. Pas à moi, du moins. N'empêche qu'il rabattra le gibier quand même. Question de patience.

— Oui. En somme, pour quelques paroles obscures échappées à un prêtre que vous estimez supérieur et que moi je trouve un peu — entre nous — un peu suspect, bizarre... vous espérez tenir de lui, un jour ou l'autre, le secret de la vieille gouvernante, et que ce secret supposé vous donnera la clef du crime... que de suppositions, Frescheville! Car enfin, une ancienne religieuse, même défroquée, peut, en certaines conjonctures, poser à un prêtre de ces cas de conscience puérils qui...

— Hé bien! qu'est-ce que vous fichez là, Grignolles? fit le petit juge rouge de colère.

— J'ai frappé deux fois, répliqua l'inspecteur penaud. Et comme je vous entendais parler... Il se laissa tomber sur une chaise.

— D'où venez-vous?

— Elle est dure, fit Grignolles. Vraiment dure, votre pucelle de Châteauroux... Mais je ne regrette pas de l'avoir reconduite jusqu'à sa chambre, on a causé en camarades. Ecoutez, patron, il y a dans cette femme-là, parole d'honneur! quelque chose de pas ordinaire. Ça, une dévote? Allons donc! Je suis fixé.

— Que voulez-vous dire? demanda sèchement le docteur. A votre âge, mon cher, on croit voir des poules partout.

— D'accord, répliqua Grignolles vexé. Qu'elle soit ou ne soit pas une bigote à mitaines et à paroissien, ça peut n'avoir aucune importance. Mais qu'elle ait un amant ou non, ça, c'est autre chose, pas vrai, patron? Je ne me vante pas d'être malin. Seulement, dans notre métier, on doit comprendre à demi-mot la pensée d'un supérieur. Hé bien, je vous fiche mon billet qu'il y a un homme là-dessous, et que la demoiselle est en main!

— A quoi diantre voyez-vous ça? demanda le
docteur.

Il avait quitté sa chaise et fixait sur son interlocuteur un regard chargé d'ironie.

— L'idée m'est venue tout de suite, continua
Grignolles sans daigner répondre directement;
je me suis dit : la chose va intéresser le patron,
sûr! Alors j'ai ouvert les yeux et les oreilles. Une
amoureuse, voilà ce qu'elle est. Et le particulier qui l'a dressée, je ne le crois pas le premier
venu, non! C'est tout sucre et tout miel, cette
femme-là, un vrai régal pour connaisseur!
Tenez, patron, sans blague, c'est presque trop
bien pour un homme... on dirait que...

— Hein?

Le petit juge venait de se dresser sur son lit.
Ses lèvres tremblaient d'impatience et le côté
droit de son visage parut s'immobiliser brusquement tandis qu'il tournait entre ses dents une
langue épaisse, d'un rouge sombre.

— Pho-to-gra-phie... bégaya-t-il. Ecoutez, Grignolles...

Mais l'inspecteur eût vainement tendu vers
son patron l'une ou l'autre de ses longues
oreilles. D'un geste impérieux le médecin de
Mégère l'avait cloué sur place, et il ne voyait
plus que le dos du praticien, penché sur la poitrine du petit juge.

— Une syncope, je pense, fit le docteur. Passez-moi ma trousse. Elle est sur la cheminée.

TROISIÈME PARTIE

I

L'UNIQUE fenêtre de la ridicule petite maison s'ouvrait sur l'abîme d'où montait l'odeur du fleuve pourrissant que les dernières pluies d'automne avaient gonflé d'une argile livide, pleine de débris végétaux. A deux cents pieds plus bas, la Bidassoa roulait furieusement vers la mer les restes du flamboyant été basque, ainsi qu'un décor brisé. Mais la force du courant ne se marquait qu'aux longues traînées d'écume, et n'eût été le monotone grondement renvoyé de l'une à l'autre des vertigineuses falaises, l'énorme masse d'eau entraînée par son poids eût paru immobile et morte.

— C'est *encore* monsieur l'abbé, dit madame Pouce.

Une fois de plus, elle parcourut du regard la

pièce nue grossièrement blanchie, les dalles dis-
jointes posées à même le roc et pourtant toujours suintantes, la cheminée trop large où le
bois siffle et crache avant de pousser vers le haut
une mince langue de flamme, fourchue comme
celle d'une vipère, le lit de chêne vermoulu
pour lequel on n'a pas trouvé de couverture
assez large, les poutres du plafond si imprégnées
de la suie résineuse des bûches de pin qu'elles
ont le luisant de l'anthracite, l'échelle de planches qui débouche par une trappe, dans la soupente, l'étroit grenier à peine clos où ce prêtre
inconnu a voulu qu'on dressât pour son neveu
un lit de fer emprunté à l'hôtel et qui avec son
édredon rouge garde sous les tuiles du toit,
parmi les chevrons et les poutres tapissées de
toiles d'araignée, son air honnête et bourgeois.
Singulier caprice! L'hôtel du Lion d'Argent n'est
pas riche, soit. Mais en cette saison, la clientèle
est rare et même, depuis le départ du prétendu
placier espagnol — un révolutionnaire sans
doute — les cinq chambres sont vides... Quelle
idée singulière de prétendre habiter tous les
deux une ancienne remise dont se contentent à
peine les Parisiens naïfs venus par les trains de
plaisir! Sous l'éclatant soleil d'août l'enseigne
qui se balance au-dessus de la porte peut encore
faire illusion à des imbéciles. Mais bosselée par
la bourrasque qui à chaque bouffée la jette violemment contre le mur, déteinte par les averses,
elle ressemble assez aujourd'hui à ces bidons de

fer-blanc dont on effraie les corneilles. Ah! oui,
singulier prêtre...

Elle se rappelle son arrivée voici bientôt
quinze jours, le fiacre venu par la route de Luz,
attelé d'une rosse biscayenne à dents jaunes et
son cocher somnolent... Fille d'un mégissier tou-
lousain, elle n'aime guère les gens de ce pays et
moins encore les curés, secs comme des sarments,
tout en muscles, avec ce regard méfiant des
contrebandiers montagnards, traversé d'éclairs
soudains. Mais ce curé-ci l'a rassurée du premier
coup : une voix douce qui oublie parfois de
rester grave, joue imperceptiblement sur certaines syllabes, les prolonge avec une sorte de
tendresse. Et ce visage presque trop fin, trop
régulier, marqué d'une tristesse qu'il arrive si
rarement d'apercevoir sur une face d'homme, la
discrétion de chacun de ses gestes, le sourire qui
passe par instants sur les lèvres, y flotte longtemps, ce sourire dont elle dit qu'il semble revenu de tout... Le patron, M. Pouce, qui ne
quitte plus guère sa chambre et achève lentement de mourir d'une mauvaise tumeur, est
venu exprès dans la salle, pour voir son hôte.
Il l'a écouté longtemps sans rien dire, penchant
vers la flamme ses joues jaunes et crachant à
petits coups dans les cendres, par politesse.
« Drôle de curé, a-t-il dit, mais pas fier. Méfie-
toi quand même : il a l'œil malin. » Et lorsqu'elle a voulu parler du neveu, il a cligné des

paupières comme jadis, lorsqu'il contait des histoires graveleuses à la petite servante.

— Et que me veut-il? demanda le curé de Mégère. Qu'ai-je à faire avec ce...

Il parlait sans élever la voix, d'un ton calme.

— La sollicitude des confrères est réellement accablante, madame Pouce. Comme n'importe quelle sollicitude, d'ailleurs. Elles nous suivent jusqu'à la tombe, au sens exact du mot, et pour savoir ce qu'elles sont, il suffit de regarder les cortèges funèbres. Toutes ces sollicitudes, les sollicitudes de toute une vie, à la queue leu leu, le long des allées du cimetière... C'est un triste et dégoûtant spectacle, madame Pouce.

L'hôtelière le regardait, s'efforçant de comprendre. Aux derniers mots elle respira.

— Bien sûr, fit-elle humblement. Mais quant à M. l'abbé Etchegoyen, voyez-vous, c'est ma faute. J'ai parlé un peu de vous, l'autre jour, comme ça, sans penser. Alors, il s'est mis dans la tête de faire votre connaissance. Dame! il n'y a pas plus curieux qu'un prêtre, c'est connu. Soit dit sans offense, car pour vous...

— Pour moi?

— On n'en rencontre pas souvent de pareils, conclut-elle en rougissant.

— Où est-il? demanda le curé de Mégère. Je ne veux pas le recevoir ici. Et d'ailleurs... Puisque vous parliez de moi, madame Pouce, vous auriez pu lui dire... Mon Dieu, que sais-je?

Vous auriez pu lui dire, par exemple, que j'étais un homme dangereux...

Il haussa les épaules et effleura de la main, en passant, la joue dorée du petit clergeon, debout contre le mur. On entendit longtemps sonner son pas sur le chemin pierreux.

— Des prêtres tels que celui-là, mon garçon..., commença Mme Pouce.

Accroupie devant l'âtre, elle soufflait sur les bûches noircies, essuyant à son tablier ses yeux rougis par les cendres.

— Pour moi, reprit-elle, si jeune que le voilà, il a plus d'expérience que bien d'autres, c'est un homme qui connaît le malheur. Ne me parle pas des curés d'ici, de vrais diables, poilus comme des bêtes, avec des yeux qui font peur. Et pas commodes, non! Le dimanche à la sortie de la messe, faut les entendre interpeller chacun, chacune! Gare aux filles qui vont danser chez Caubert, à Andrain. Et si un gosse a seulement manqué l'Evangile, pif! paf! deux paires de claques. Même les vieux filent doux, ainsi!

Tout en parlant, elle continuait d'observer le petit clergeon d'un regard oblique.

— On trouve de tout chez les prêtres, pas vrai? C'est un métier pareil aux autres. N'empêche que je me suis laissé dire...

Elle se leva, secoua son tablier, et d'une voix qui s'efforçait de paraître indifférente, bien qu'elle frémît de curiosité :

— Probable qu'il y a du roman dans la vie

de cet homme-là, pas vrai? Un si joli garçon! Je
connais plus d'une femme qui se contenterait
de sa figure. Et des mains! Sûr qu'elles n'ont pas
remué beaucoup la terre. Qu'est-ce que tu dis,
garçon?

— Moi, je ne dis rien, répliqua l'enfant, toujours sombre. Vous parlez tout le temps, madame Pouce.

— Oh! on ne peut pas te reprocher d'être
bavard, fit-elle avec une admiration naïve. Il
te fait donc un peu peur, ton oncle? Ou quoi?

— Non! protesta l'enfant, le regard dur. Je
n'ai peur de personne, madame Pouce.

— Voyez-vous ça! Allons, petit, garde tes secrets. N'empêche que si j'étais ta mère...

— Je vous ai déjà dit que je n'avais ni père
ni mère, madame Pouce!

— Tu l'aimes donc bien? reprit-elle après un
silence.

Mais l'enfant pencha le buste hors de la fenêtre, sans répondre et ses deux pieds quittant
le sol, elle poussa un cri de terreur.

— Tu pourrais te tuer, galopin, fit-elle.

La voix du clergeon lui arrivait du dehors,
curieusement déformée par la sonorité de
l'abîme.

— Tout le monde l'aime, dit-il avec un rire
amer.

— Jaloux! Avoue que tu es jaloux de ton
oncle, jaloux comme une fille : d'ailleurs je
m'en suis aperçue tout de suite, il suffit de vous

voir ensemble... Mais c'est vrai, aussi, qu'on s'attache à lui, on est pris sans seulement y avoir pensé. Tiens, dès le premier soir, rien que sa façon de me parler de mon pays, de Toulouse... Une belle ville, Toulouse, mais faut la comprendre... Et lui, un homme du Nord, hein? des Ardennes?...

L'enfant se dressa sur les poignets, la tête et le buste rejetés en arrière, la pointe de ses souliers battant le mur. Le vent faisait flotter ses cheveux blonds.

— A Toulouse! fit-il d'une voix sifflante. Croyez-vous qu'il soit jamais allé à Toulouse? Il a raconté ça pour rien, pour vous faire plaisir. Et les gens le croient. On le croit toujours.

— Tu ne vas pas dire que ton oncle est un menteur?... insinua l'hôtesse, les yeux brillants.

Mais elle ne tira pas un mot de plus du petit clergeon qui, refermant la fenêtre, alla s'asseoir sur le lit où il demeura, le regard au plafond, les jambes ballantes, jusqu'à ce que, de guerre lasse, Mme Pouce cédât la place en maugréant...

— Monsieur l'abbé, commença le curé de Mégère, je m'étonne un peu...

Il distinguait mal le prêtre inconnu qui, sorti à sa rencontre, l'attendait au bord du sentier, debout contre un mur, le visage dans l'ombre. Comme s'il devinait sa pensée, celui-ci fit un pas en avant. Quelques secondes, ils restèrent ainsi face à face sans un mot.

— Pardonnez mon insistance, dit le visiteur, d'une voix rauque. Personnellement j'avais le plus grand désir de vous connaître. Depuis l'année dernière je remplis un modeste emploi auprès de Monseigneur, mais ma maison natale, où je vais presque chaque semaine, se trouve à Castet, derrière cette colline, tout près. Nous sommes donc un peu voisins.

Derrière une des fenêtres de l'hôtel, la face jaune du patron apparut, collée à la vitre et déjà d'une couleur et d'une immobilité d'expression si peu humaine qu'elle faisait penser à quelque monstrueuse excroissance végétale.

— C'est pour lui que j'ai pris la liberté de vous attendre au-dehors, fit l'inconnu qui avait sans doute surpris le regard du curé de Mégère. Pauvre monsieur! Cet affreux mal le travaille jour et nuit, ne lui laisse aucun repos, et il passe son temps à guetter les passants, ou même, hélas! à écouter aux portes. Les rares clients de Mme Pouce se plaignent de l'avoir surpris plus d'une fois l'œil au trou de la serrure, comme un enfant. Nous n'aurions pu causer librement.

— Je ne pensais pas, dit le curé de Mégère, que nous ayons à nous entretenir de secrets bien importants...

Il haussa les épaules et reprit sa marche tête basse, l'air aussi indifférent que s'il eût fait seul cette promenade au bord de la falaise, comme chaque soir.

— Monsieur le curé de Castet se proposait de

vous rendre lui-même visite. Ce petit hameau, en effet, dépend de sa paroisse, et...

— J'aurais dû évidemment le devancer...

— Non pas! non pas! protesta l'inconnu. Peut-être a-t-il craint seulement qu'une démarche trop hâtive prît à vos yeux, en raison de la juridiction qu'il exerce sur ce territoire, un caractère... un caractère désagréable.

— Je vous entends très bien, fit le curé de Mégère. Qui de nous, hors de son diocèse, pourrait se vanter d'être accueilli sans défiance par les confrères? De séminaire à séminaire, les formations sont parfois très différentes...

— Vous vous moquez de moi, dit l'inconnu de sa voix la plus douce.

Ils firent encore quelques pas, tournant franchement le dos à la route. Le sentier qu'ils suivaient serpente à travers les roches avant de déboucher au flanc même de la paroi de granit où, sur une centaine de pas, il surplombe l'abîme, puis se perd de nouveau dans les pierrailles, s'abaisse lentement vers le fleuve.

— Voyez-vous, monsieur le curé, reprit le Basque après un long silence, il ne faudrait pas nous croire ici plus curieux ou plus soupçonneux qu'ailleurs. Bayonne, Biarritz, Saint-Jean-de-Luz sont des villes très fréquentées, très ouvertes et moi-même, bien que la fonction que j'exerce m'impose quelque vigilance, je dois fermer souvent les yeux. Quelques imprudences, Dieu merci, ne peuvent sérieusement compro-

mettre le renom d'un clergé qui passe, à juste
titre, pour le plus sain de France : il suffit de
n'attirer l'attention de personne. Comme toutes
les administrations, la nôtre redoute ce qu'on
appelle, d'ailleurs bien improprement, « les
histoires »...

Ils rirent ensemble d'un petit rire que le curé
de Mégère prolongea un peu plus qu'il n'eût
fallu, avec une sorte d'ironie dont son compagnon eut à peine le temps de mesurer l'insolence car ce faible bruit des lèvres prit tout à
coup, dans cette solitude envahie à la fois par
l'haleine glacée du fleuve et par l'ombre, une
signification tragique.

— Un prêtre en partie fine, dit-il. Ces messieurs croient en voir partout. Et qui sait?
Peut-être Mme Pouce a-t-elle eu d'abord quelque
doute sur... sur le véritable sexe de mon petit
compagnon?

— J'allais vous raconter la chose, répliqua le
Basque impassible. Mais ce n'était qu'une baga-
telle : nous n'avons fait qu'en rire. Si vous aviez
eu l'idée d'une fugue de cette sorte, il eût été
bien ridicule de déguiser une fille en garçon,
alors qu'il vous eût été plus facile... plus facile
de quitter cet habit.

— Sans doute. Et j'avoue même qu'en raison
des circonstances exceptionnelles que je traverse,
j'étais assez disposé à prendre cette précaution
contre la malveillance. Mais la présence auprès
de moi de...

— De votre neveu?

— Il n'est pas mon neveu, dit le curé de Mégère avec le plus grand calme. Et d'ailleurs, monsieur, vous le savez.

— Je le savais en effet, répliqua l'autre sur le même ton. De toutes manières, cela ne regarde que vous. Mais je ne vous suis pas moins reconnaissant d'une franchise qui me met à l'aise pour vous dire que je considère comme remplie la mission particulière dont m'avaient chargé mes supérieurs. Que voulez-vous? Je ne m'attendais pas à rencontrer ici un homme de votre qualité. Il m'est agréable de pouvoir vous parler désormais en mon nom.

— Je vous crois, dit le curé de Mégère. Je crains seulement que votre bonne volonté n'intervienne un peu tard, et vous allez vous compromettre pour rien.

— Il n'est jamais utile de se compromettre, remarqua le Basque, en secouant la tête. On ne se compromet que pour son plaisir. J'ai beaucoup vécu dans le monde, monsieur, je ne suis entré au séminaire qu'à trente ans passés, cela compte! Si je croyais me trouver en présence de quelque jeune prêtre étourdi... Mais il suffit de vous voir, de vous entendre... L'épreuve que vous traversez doit être des plus graves, des plus angoissantes...

— Elle l'était, monsieur. On peut maintenant parler d'elle au passé. Car l'incertitude est le

pire de nos maux et probablement même le
seul.

— Soit. Pourtant il ne peut vous être inutile
de savoir à quelle sorte de curiosité vous avez
affaire. Celle des prêtres, aisément éveillée,
s'apaise aussi vite...

Il posa le bout des doigts sur la manche du
curé de Mégère, et dit lentement :

— Connaissez-vous un certain M. de Frescheville, ou Frescheville?

— Fort bien, répliqua le curé de Mégère, sans
sourciller.

— Que pensez-vous de lui?

— C'est un imbécile, poursuivit le prêtre de
sa voix toujours égale. Mais il a de la suite dans
les idées, je le crois donc un imbécile assez
dangereux.

— Hé bien, le hasard...

— Il n'y a pas de hasard, monsieur.

— C'est du moins le nom que je donne à la
Providence lorsqu'elle me paraît compliquer les
choses au lieu de les simplifier. Bref, ce juge
d'instruction par le plus grand des hasards est
venu achever à Bayonne la convalescence d'une
grippe infectieuse fort grave. Et c'est justement
chez moi qu'il a rencontré M. le curé de Castet.
Vous m'avouerez que l'aventure est singulière.

Ils continuaient à marcher côte à côte et
bien que le soleil fût encore au-dessus de l'horizon, la brume funèbre montait, invisible, mais
dénoncée par son âcre parfum.

La brise fraîchit tout à coup.

— Ce que je sais m'inspire un grand intérêt pour vous, monsieur. J'ajoute que la justice et les gens de justice, au contraire...

Il essaya de rire et s'arrêta stupéfait comme si ce grelottement de pauvre gaieté lui eût paru à lui-même, dans ce lieu désert et à cette heure sauvage du crépuscule, un bruit trop insolite, intolérable.

— Ce M. Frescheville désirait vous voir, et je me permets de vous faire part de ce désir, à ma manière. A ma manière, comprenez-vous?

— Je vous remercie, dit le curé de Mégère sans quitter des yeux les lèvres de son interlocuteur comme s'il eût prétendu y lire sa secrète pensée.

— Vous auriez tort de croire que je me serais associé à quoi que ce fût qui ressemblât à une enquête policière. M. Frescheville est réellement ici en congé. L'affaire que vous savez ne l'intéresse plus qu'à titre privé. Elle a suivi d'ailleurs son cours et s'achemine, à ce qu'il prétend, vers une solution banale. Après tout, si j'ai bien compris, l'auteur du crime est mort, je me demande ce qu'ils peuvent souhaiter de plus.

Il passa son bras sous celui du curé de Mégère.

— Je sais ce que c'est qu'un jeune prêtre. A votre âge, il ne déplaît pas de se trouver en contradiction avec la lettre, au nom de l'esprit. Je ne vous blâme pas, certes, mais croyez-en mon

expérience : si vous prétendez lutter seul, le
dénouement m'est connu d'avance : la lettre
vous tuera. Interrogez-vous, monsieur, pesez vos
chances. Vous déciderez alors, soit de vous
mettre sous la protection de vos supérieurs, qui
ne vous le feront pas payer trop cher, je l'espère,
soit...

Il interrogea un moment l'horizon gris, derrière lequel un pic inconnu, touché par un dernier rayon de soleil explosa tout à coup, jeta
dans l'espace un éclair fulgurant, une sorte
d'appel lumineux, s'éteignit.

— Disparaître de nouveau, conclut le prêtre
à voix basse. La sympathie que vous m'inspirez...

Mais il n'acheva pas. Le visage du curé de
Mégère venait de se plisser de bas en haut,
parut se froncer tandis que les yeux mi-clos ne
laissaient passer qu'un trait oblique. Il ressemblait à celui d'un chat.

— Ne parlez pas de sympathie, fit-il. J'attendais le mot, le mot seulement, car la chose était
déjà venue. Elle vient toujours. Parce que vous
l'avez sentie naître en vous dès le premier regard, n'est-ce pas? Que ne l'avez-vous ravalée!
Mais vous ne l'auriez pas pu. J'éveille la sympathie — quelle expression ignoble! — je pense
l'avoir éveillée dès le berceau, bien avant de
savoir ce que c'était. Le sais-je même encore
aujourd'hui? Car j'ai subi cette fatalité sans la
comprendre. Vous n'êtes certes pas un homme
ordinaire, monsieur, peut-être finiriez-vous par

me haïr? Mais je n'ai plus le temps ni le courage de courir cette dernière chance. Mieux
vaut que nous en restions là, vous et moi.

— Je ne pourrais vous haïr, dit le prêtre
d'une voix sourde. Je ne me permettrais pas de
vous plaindre. Pour quelque cause que ce soit,
vous vous trouvez en ce moment à l'extrême
limite de vos forces. Quand l'équilibriste est sur
sa corde raide, au passage le plus difficile, on
retient son souffle, on se tait.

Le curé de Mégère le regarda, d'un air
surpris.

— Votre comparaison n'est pas mauvaise,
dit-il.

Il tourna le dos, fit quelques pas, et resta longtemps immobile, tête basse, puis il revint brusquement vers le prêtre.

— Je suis à la disposition de M. Frescheville,
fit-il. Qu'il vienne ici quand il voudra. Je ne sors
jamais.

Au premier regard, la soupente lui parut
vide, et il dut pousser la lucarne pour aperce
voir son petit compagnon, couché en travers du
grabat, la tête entre ses mains et probablement
endormi. S'approchant doucement, il lui mit la
main sur le front. Mais l'enfant se dressa tout
à coup, tournant vers lui un visage convulsé de
frayeur et de colère.

— Qu'avez-vous? Pourquoi ne me parlez-vous
plus depuis ce matin?

— A quoi bon parler? dit le clergeon, faisant pour articuler distinctement chaque mot un effort immense. Je sais que vous êtes un menteur. Oui, continua-t-il d'une voix discordante, j'ai fait pour vous tout ce que j'ai pu, vous m'aviez promis de ne pas m'abandonner et...

— Qui parle de vous abandonner? fou que vous êtes! Je vous ai dit seulement que certaines circonstances... Hé bien, ce que j'attendais est venu. Pour quelques jours, quelques semaines au plus...

Il n'eut pas le courage d'achever. Son regard, un instant durci, eut une expression de pitié tendre, une sorte de sourire funèbre.

— Je pourrais d'ailleurs maintenant tout vous dire, fit-il, cela n'aurait plus aucune importance...

— Dites-le, supplia l'enfant, avec une résignation farouche. Vous vous êtes assez longtemps joué de moi. Mais que vous importe à présent?

— Sot! dit le curé de Mégère, sot que vous êtes!

Il haussa les épaules, et reprit sa marche à travers la chambre. Par la lucarne restée ouverte montait, à chaque bouffée de vent, l'odeur écœurante des eaux.

— La vérité ne vous servirait guère, continua le prêtre. A quoi bon? Peut-être même vous perdrait-elle à jamais. Car je vous connais, André... Ce que vous appelez mes mensonges étaient comme faits pour vous. Il convient que je dispa-

raisse avec eux. Et vous pourrez dire que vous
m'avez accompagné jusqu'au bout de la route,
car désormais, devant moi, il n'y a plus de route.

Les yeux du clergeon ne quittaient pas les
siens et l'extraordinaire immobilité du petit
visage eût été parfaite sans l'imperceptible grimace de la bouche, chaque fois que l'enfant rava-
lait ses larmes.

— Vous partirez demain, fit le prêtre d'une
voix saccadée. Je le veux. Ecoutez-moi, André.

Posant les deux mains sur ses épaules, il le fit
reculer lentement jusqu'au mur où il le maintint une seconde. Mais dès que l'enfant sentit se
relâcher l'étreinte, il glissa hors des bras du
prêtre, fut d'un bond à l'autre extrémité de la
pièce où il attendit, ramassé sur lui-même, tête
basse, ainsi qu'un animal traqué.

— Assez de sottises! fit le curé de Mégère.
Vous m'obéirez, sinon... Voulez-vous que je vous
fasse reconduire chez vous par la police?

— La police! répéta le petit d'une voix
rauque. (Et il s'efforçait de rire sans pouvoir
tirer de sa gorge autre chose qu'une espèce de
gémissement.) Vous devez craindre la police plus
que moi... Je vous ai suivi tout à l'heure. J'ai
tout entendu.

— Ah! dit simplement le curé de Mégère.

Il posa la main sur l'épaule du clergeon qui,
cette fois, ne se déroba pas.

— Où ne vous aurais-je pas suivi? reprit l'enfant à demi vaincu. (Les larmes commençaient à

ruisseler sur ses joues bien que son visage restât
convulsé de colère.) Je vous aurais suivi n'importe où. Et pour obéir à cet affreux prêtre
vous allez... vous allez vous rendre demain au
juge comme un... comme un lâche.

— Me rendre? Que pouvez-vous bien entendre par là? Me prenez-vous pour un voleur?

Le regard du petit glissa entre ses cils avec
une expression indéfinissable de désespoir, d'orgueil, d'une sorte d'entêtement inflexible. Puis
il se tourna vers l'angle le plus obscur de la
soupente où brillait la ferrure nickelée d'un sac
de cuir. Si rapide et si furtif que fût ce regard,
celui du prêtre l'avait comme saisi au vol.

— Vous mériteriez d'être fouetté, dit-il sèchement. Qu'avez-vous fait de mes lettres?

Du menton, l'enfant montra la lucarne
ouverte. Le visage du curé de Mégère avait brusquement pâli.

— Allons-nous-en! fit-il de la même voix dure,
sans réplique.

Ils sortirent tous les deux, s'engagèrent dans la
direction opposée à celle prise un moment plus
tôt par le Basque. D'abord resserré entre ses
parois de pierre, le chemin débouche brusquement dans une sorte de cirque où le vent
d'ouest, le vent du large, apporte et fait tourner
sans cesse, tout au long des interminables
automnes, une poussière coupante comme le
verre. Parfois la brise fraîchit et le cirque soli-

taire crache vers le ciel un nuage épais de
feuilles mortes qui montent d'abord comme
aspirées par le soleil pâle, puis s'éparpillent en
un clin d'œil, happées par la gueule géante et
glacée du fleuve, tandis que tournoie lentement
au-dessus du gouffre une plume de palombe.

Ils s'assirent côte à côte au seuil de l'étroite
brèche ouverte sur la Bidassoa. De la rive opposée, seule visible, montait le refrain curieusement scandé d'un douanier espagnol qui, sa
journée faite, en bras de chemise, surveillait
encore, par habitude, les anses et les criques
hantées par les fraudeurs. A cet endroit, la falaise s'abaisse, et ils pouvaient entendre, à
chaque intervalle du chant, le formidable remous du fleuve, le roulement des galets sur les
fonds et lorsqu'une vague plus puissante venait
mordre sur l'éperon de granit le déchirement des
eaux et le sifflement de l'écume.

— Je ne vous en veux pas, dit le curé de
Mégère. Les lettres que vous avez lues, je les
aurais détruites ce soir même. Et il ne me déplaît pas que vous ayez appris par vous-même,
dès aujourd'hui, ce que vous ne comprendrez
que plus tard, si vous le comprenez jamais. Je
suis seulement attristé d'avoir troublé votre
conscience.

— Ma conscience! dit l'enfant avec un empor-
tement farouche. Il ne s'agit pas de ma
conscience! Je me moque bien de ma conscience!
Ce n'est pas ma conscience qui... Mais vous allez

me mentir encore. Que sais-je de vous? Au lieu
que cette femme...

— Silence! dit le prêtre à voix basse. Elle
non plus ne me connaît guère. Elle me connaî-
tra moins que vous, car vous me voyez au seul
moment de ma vie sans doute où je puis enfin
être moi-même. En quoi d'ailleurs vous ai-je
menti? Et d'abord qu'appelez-vous des mensonges? Le monde est plein de gens qui ne dis-
simulent rien parce qu'ils n'ont rien à cacher.
Ils ne sont rien. Sans doute est-ce pour votre
jeunesse une vérité un peu dure, ou qui dépasse
votre jugement! Pour la comprendre, il vous
suffirait de réfléchir un peu sur vous-même.
N'êtes-vous pas bien différent de l'image que se
font de vous les gens de Mégère? Savaient-ils
que vous les méprisiez? Qu'auriez-vous gagné
d'ailleurs à vous découvrir à des êtres d'une
autre espèce? Vous vous êtes tu, soit. Mais
le silence même n'aurait pas été longtemps
pour vous une protection efficace. Le moment
serait venu où vous auriez dû porter un masque,
des masques, une infinité de masques, un
masque pour chaque jour de votre vie. Dure
contrainte, dont un homme digne de ce nom
finit par faire un jeu passionnant, parce qu'il est
difficile et dangereux. Certes, je vous parle ici
d'égal à égal, un langage peu fait pour un ado-
lescent, fût-il aussi sauvage que vous. N'importe!
En vouloir parler un autre serait perdre mon
temps, et je n'ai plus beaucoup de temps à vous

donner. Retenez du moins encore ceci. L'être vulgaire ne se connaît lui-même qu'à travers le jugement d'autrui, c'est autrui qui lui donne son nom, ce nom sous lequel il vit et meurt, comme un navire sous un pavillon étranger. Donnez-moi votre main... (il la prit dans les siennes avec une sorte de méfiance et il la serrait à peine entre ses doigts comme s'il eût craint de blesser une bête fragile et farouche). Votre vie commence. Hélas! que ne vous ai-je connu plus tôt! Nous aurions ensemble couru le monde et pour un tel voyage il n'est pas besoin de boussole ni même de navire. Qui nous emporterait plus loin et plus sûrement que nos rêves?... des rêves où nul autre que nous ne pénètre... Mais peu d'hommes savent rêver. Rêver, c'est se mentir à soi-même, et pour se mentir à soi-même, il faut d'abord apprendre à mentir à tous.

Il s'arrêta un fragment imperceptible de seconde et son visage eut encore une fois cette expression triste et douce qui lui avait gagné tant de cœurs.

— C'est ce que j'ai fait, dit-il.

L'enfant venait de retirer sa main sans que le prêtre fît aucun effort pour la retenir. Il ne leva même pas les yeux. Il regardait ses paumes vides.

— Je ne suis pas le curé de Mégère, reprit-il après un long silence.

II

— Le papier est un peu moche, je ne dis pas, fit le garçon avec une dignité mélancolique, mais on n'écrit jamais ici, ou presque. La gare n'est pas trop passante, une vraie saleté.

Il expliqua qu'il avait servi jadis au café du Dôme, à Bayonne.

— Mon estomac ne supporte pas la ville, la ville est trop échauffante, on fait des excès malgré soi. D'ailleurs je suis un gazé, reprit-il fièrement, j'ai une pension. Si je bibelote, c'est pour m'occuper, voilà tout.

Il éleva l'encrier jusqu'à son œil jaune et triste, passa sur la plume un pouce expert et resta debout, immobile.

— Madame reprend l'omnibus de 9 h. 18, vers Quincy? Départ 9 h. 18, arrivée 11 h. 15. C'est malheureux de voir un tacot pareil! De Bayonne ici, quatre heures, quatre et deux font six. Six heures pour 180 kilomètres, vous parlez d'une moyenne! Les gars du Tour de France font mieux... Pain-beurre ou croissant?

— Rien du tout. Du café noir.

— Café noir... café noir... (l'œil jaune parut s'attrister encore). Je serai forcé de vous servir « un spécial », « l'express » ne marche que plus tard, rapport à la pression... Si madame voulait, je...

— Mon ami, dit la voyageuse sans se retourner, d'une voix douce bien qu'étrangement voilée, je voudrais seulement que vous me fichiez la paix.

Elle trempa sa plume dans l'encre et commença d'écrire avant que le garçon eût trouvé sa réplique.

Jugeant la partie perdue et sa dignité compromise, il prit le parti de s'éloigner en traînant ostensiblement ses savates, avec un profond mépris.

Pour Mlle Evangeline Souricet. Châteauroux (aux soins discrets de M. l'abbé Capdevieille, aumônier des Sœurs de la Repentance).

« Mon amie, je ne vous verrai plus. Cela ne m'étonne pas de l'écrire, et vous ne vous étonnerez pas non plus de le lire. Je me souviens de notre première rencontre à Châteauroux, dans cette petite chapelle de nonnes, toute grise. Vous aviez votre mine des mauvais jours, couleur de pluie, votre pauvre petit sourire bêta... En reve-

nant ensemble, le long de la rue des Grainetiers,
entre deux hauts murs, parmi ces jardins invisibles, nous n'avons pas échangé dix paroles. Ce
n'est pas que vous aimez le silence, mais il vous
fascine. Moi, je l'aime. Tout ce que j'aime a sur
vous ce pouvoir de fascination. C'est pourquoi
vous avez cru m'aimer, moi aussi. Et vous le croi-
rez jusqu'au jour...

« Mais non. Ce jour ne viendra pas... Rien ne
m'effacera, je le sais. Après moi, pour vous, il
n'y a rien. Cette solitude dont je vous ai tirée,
ces longues années de solitude, ces années vaines,
votre jeunesse, — la seule que vous fussiez capable de vivre, tour à tour brûlante et glacée, —
ces années secrètes, n'auront été que pour moi.
Pour moi seule, votre attente, car désormais vous
n'attendrez plus personne. Il faudrait beaucoup
plus qu'une vie de femme pour reformer en
vous, au profit d'un autre être qui me vaille, ce
que vous n'aurez prodigué, dissipé, anéanti que
pour moi.

« Vous m'avez craint, mon amie. Il n'y a pas
d'amour sans crainte. En ce moment vous me
craignez encore — que cette pensée m'est douce!
Vous me craindrez longtemps encore, toujours
peut-être... Souvenez-vous! Souvenez-vous! Dès
la première minute, ou le premier mot échangé,
quand nous discutions si paisiblement du prix
de ma pension, de vos habitudes et des miennes,
que nous parlions modestement d'un simple
essai de vie commune, votre regard exprimait

déjà cette crainte et depuis... Combien de fois
m'avez-vous dit : « Je ne sais rien de toi, de ton
passé. » Mais qu'aviez-vous besoin de savoir?
Notre sécurité, notre repos, notre bonheur
étaient justement au fond, au plus profond de
ce secret où je vous entraînais peu à peu. Appe-
lez-le, si vous voulez, mensonge, qu'importe!
Quand nous aurions couru le monde, les slee-
pings, les palaces, mené cette vie errante, quoti-
dienne — la fuite sans but, complice de tant
d'amours, nous aurait-elle plus séparées des
hommes que les murs de votre petite maison, ces
murs qu'un enfant eût escaladés sans peine?
Notre maison!... D'autres que moi vous en
eussent arrachée. Mais je savais, moi, que les
joies les moins attendues, celles qui nous
semblent comme tombées du ciel, un peu ha-
gardes ainsi que des cygnes sauvages, ont été
longtemps couvées en nous, à notre insu. L'ennui, le médiocre ennui, haï de tous, l'ennui
qu'on croit stérile est l'humus profond, gras et
noir, où longtemps d'avance, le hasard sème le
grain d'où germera la joie. Osez dire que nous
aurions connu la nôtre ailleurs que dans cette
ville sordide, où vous aviez bâillé dix ans auprès
d'un vieil homme dévot, entre ces prêtres et ces
nonnes, au son de la cloche des Dames de la Repentance avec son joli timbre si doux, si pur?...
Oui, rien ne semblait changé, en apparence, à
votre ancienne vie, sinon que je la partageais
avec vous... Nous étions seules, tout à fait seules,

d'une solitude miraculeuse que nous aurions inutilement cherchée à des milliers de lieues au-
delà des mers. Car jour et nuit veillait à notre
porte la plus vigilante et la plus sûre des sen-
tinelles : cette fausse image que le monde se formait de nous... « Comme vous aimez le men-
« songe! » me disiez-vous. Oui, j'ai aimé le
mensonge. Non pas ce mensonge utilitaire, cette
forme abjecte du mensonge qui n'est qu'un
moyen de défense comme un autre, employé à
regret honteusement. ... J'ai aimé le mensonge,
et il me l'a bien rendu. Il m'a donné la seule
liberté dont je pouvais jouir sans contrainte, car
si la vérité délivre, elle met à notre délivrance
des conditions trop dures à mon orgueil, et le
mensonge n'en impose aucune. Seulement il finit
par tuer. Il me tue.

« C'est tout de même quelque chose d'avoir
échappé tant d'années à la sinistre curiosité des
hommes, à toutes les sollicitudes carnassières
auxquelles les faibles abandonnent leur pauvre
vie. Elles n'auront rien eu de moi que les appa-
rences, et je doute qu'elles en aient tiré beaucoup de profit. Je n'ai engraissé la pitié de
personne. Et au moment même où allaient peut-
être s'exercer sur moi toutes ces gencives, je vais
être dévorée d'un seul coup.

« Vous voyez, mon amie, que je parle de moi
aujourd'hui avec une franchise insolite qui doit
sûrement vous inspirer quelque méfiance. Depuis mon départ de Châteauroux, au long de

ces trois semaines dont vous ne saurez probablement jamais l'histoire, j'ai passé par des alterna-
tives de rage et d'espoir également démentielles,
je vous ai bien haïe. J'ai su votre trahison dès
le premier jour — oui, ma chérie, dès le premier
jour — car vous ne me pouvez rien cacher. Que
m'importait, après tout? Je savais, je sais encore
que je n'aurais qu'à paraître... Mais je ne repa-
raîtrai pas. Un moment, il est vrai, j'avais fait
ce projet stupide de fuir avec vous. Il ne nous
manquait que l'argent, et j'avais le moyen de
vous faire riche... Vous l'êtes et... »

Elle resta longtemps la plume suspendue au-
dessus du papier, le regard vague, avec une grimace terrible de la bouche. Puis elle raya soigneusement le paragraphe, à l'exception des trois
premières lignes.

« ... Depuis mon départ de Châteauroux, je
me demande encore si je vais disparaître ou non...
Il y a d'ailleurs plus d'un sens au mot *disparaître*.
Je préfère vous laisser le choix. Votre misérable
vie — elle effaça le mot misérable — votre vie
me reste ouverte : je la forcerai quand il me
plaira. De toutes manières, vous êtes demeurée
la ridicule petite dévote sournoise, empoisonnée
de silence et de solitude, qui allait chaque jeudi
et chaque samedi, après la messe, porter au *Petit
Berrichon* la fameuse annonce dont nous avons
ri tant de fois, vous souvenez-vous? « *Orpheline*

vivant seule demande compagne, excellente édu-
cation, bonne famille, catholique, artiste, phy-
sique agréable, pour existence commune. Indem-
nité convenable. » Oui, nous avons ri ensemble
de cet appel discret, dont votre naïveté ne soup-
çonnait même pas l'équivoque. Mais je crains
maintenant que vous ne tiriez quelque gloriole
de croire m'avoir ainsi appelée. Il faut que je
vous détrompe aujourd'hui. Vous ne m'avez pas
révélé votre existence : elle m'était connue,
jusque dans ses moindres détails. Je savais tout
de vous, petite vipère! Et retenez encore ceci :
bien avant que fût née en moi cette tendresse
dont vous n'étiez pas digne — heureusement,
d'ailleurs, car je n'aurais que faire d'une égale!
— j'avais résolu de vous approcher coûte que
coûte. Et pourquoi? Parce que je vous savais
seule, faible, une proie facile et l'héritière probable d'une vieille avare de quatre-vingts ans...
Une proie, vous dis-je. Rien qu'une proie! »

Elle appuya si fortement sur le papier que la
plume grinça et cracha.

« ... C'est pourquoi vous auriez tort de vous
prévaloir de mon amitié, même auprès de votre
amant. Cela serait inutile et peut-être dangereux. Je suis une aventurière, ma chérie...
« *Excellente éducation, bonne famille.* » Elle est
jolie, ma famille! Je n'ai pas de père, et je suis
fille d'une... »

Depuis un instant, la même grimace contrac-
tait sa bouche et semblait gagner le visage entier,
dont l'expression devint peu à peu effrayante.
La main qu'elle tenait posée à plat sur le papier
se ferma tout à coup, et elle resta longtemps
appuyée d'un coude sur la table, l'autre bras
pendant jusqu'à terre, pétrissant rageusement la
feuille entre ses doigts.

Lorsqu'elle prit de nouveau la plume, ses
traits avaient encore une sorte de frémissement
imperceptible, puis ils se figèrent instantanément comme si elle venait d'entrevoir une issue,
un rayon de lumière au plus profond de la fosse
où elle souffrait depuis des heures, toutes les
humiliations et les tortures d'un vaste orgueil à
l'agonie.

Elle détacha du bloc un nouveau feuillet,
commença d'une écriture plus large, plus régu-
lière, son écriture des grands jours, des jours
décisifs de sa dure vie.

« Ma chère enfant, vous recevrez sans doute la
visite d'un jeune homme auquel je m'intéresse
beaucoup. Je dis *sans doute* car nous nous
sommes quittés un peu brusquement, lui et moi,
avant-hier soir, après une conversation pénible.
Ce garçon — c'est presque un enfant — vous
parlera de moi. Vous jugerez peut-être, dans
votre petite sagesse, ma confiance assez mal pla-
cée, mais j'ai passé ma vie, vous le savez, à com-
mettre des imprudences et je les ai toujours

commises gratuitement. Vous m'avez dégoûtée
du mensonge, à peu près pour la même raison
que les poètes médiocres nous dégoûtent de la
poésie. Mais vous n'avez certainement pas assez
d'importance en ce monde pour me donner le
goût de la vérité. Mon protégé fera, s'il le juge
convenable, ce que je ne me sens pas le courage
de faire moi-même. Je me fie à lui en tout, car
il ressemble étrangement à ce que j'étais à son
âge. S'il n'est déjà pas facile de savoir ce qui se
passe dans ces petites têtes-là, il est absolument
impossible de prévoir ce qui s'y passera. »

Elle mordit violemment son porte-plume et en
travers de la marge jeta, plutôt qu'elle ne la
traça, cette menace :

« Il tient votre sort dans ses mains. »

Ses doigts s'étaient mis à trembler si fort que
l'écriture était presque indéchiffrable. Elle passa
convulsivement la paume sur l'encre fraîche et
respira longuement, comme si d'avoir tracé ces
lignes, pour elle seule, venait de la délivrer
d'une contrainte intolérable.

« Je vous prie d'être bonne envers lui, géné-
reuse même, puisque vous voilà riche... Ne
croyez pas avoir affaire à un maître chanteur. Si
profondément que vous m'ayez offensée, je ne
voudrais pas tirer de vous, ni surtout de votre

amant, une vengeance aussi basse. Il me plaît
beaucoup seulement de vous laisser, de laisser
dans votre vie un être si semblable à moi, d'une
race si proche de la mienne, si familière, que je
l'ai reconnue du premier coup... Et retenez encore ceci : entre vos mains, il sera inoffensif,
comme je l'étais moi-même. Entre vos mains
— mon amie — *je dis les vôtres.*

« Ne cherchez pas à lire entre les lignes de
cette lettre (c'est la troisième que je commence,
et je ne suis pas sûre de me décider à l'envoyer).
Ne croyez pas non plus que j'exécute aujour-
d'hui un dessein dès longtemps médité. Car vous
me jugez perfide, alors que je n'ai jamais fait
que ce qui m'a plu, dans le moment où cela
m'a plu. Au lieu que les perfides sont les mar-
tyrs de leur propre perfidie et paient très cher,
horriblement cher, le court plaisir savouré dans
le moment où ils l'ont conçue. Les masques que
j'ai portés, je les ai toujours choisis à ma fantaisie et fût-ce pour sauver ma tête, je ne les
eusse pas gardés une minute de trop. Il a fallu
bien des circonstances extraordinaires pour que
je rencontrasse ce petit compagnon et plus extraordinaires encore pour que j'éprouvasse tout à
coup le besoin obscur de lui laisser, avant de disparaître, quelque chose de moi, de me survivre
en lui. *Que je ne comptasse plus dans votre vie,
c'était trop!* D'ailleurs je n'avais pas le choix,
mon amie. Moi morte, le pauvre enfant tombait
entre des mains expertes qui eussent profité de

son ignorance même pour lui tirer les vers du nez. Au lieu que prévenu par moi... Ils le scieraient plutôt entre deux planches! Et comme ils ne sauront rien par vous, je suis sûre d'entrer dans la mort, au nez de ces imbéciles, sous un faux visage et sous un faux nom.

« Si je ne vous en dis pas plus long, ce n'est pas pour le vain plaisir de tenir suspendu au-dessus de vos têtes, de vos deux têtes... »

Elle lâcha la plume et jeta la tête en arrière, portant la main à sa gorge, comme si l'air lui eût manqué tout à coup. Un moment, elle tourna et retourna la langue dans sa bouche sèche, sans trouver assez de salive pour mettre fin au terrible spasme de la glotte qui faisait vaciller d'angoisse son regard.

« ... une ridicule menace. Si incroyable que cela vous paraisse, je suis aussi ignorante que vous des projets de mon petit compagnon. Notre dernière conversation n'a duré que peu d'instants : il m'a écouté en silence et il est parti sans un mot. Je ne l'ai pas revu. J'ai laissé une lettre pour lui, sur ma table, et tout ce que je possédais — un peu plus de sept mille francs. Il a dû trouver cela au réveil. Car j'ai gagné moi-même la gare en pleine nuit, à deux heures du matin — une heure où il arrive aux sages de devenir fous, mais où les fous ne deviennent jamais sages. »

— Madame va rater son train, déclara le garçon magnanime. Je me permets de le dire à madame, qui veut qu'on lui fiche la paix.

Il prit la monnaie éparse sur la table, et revint
à pas lents vers le percolateur, en savourant sa
juste revanche.

— Mince de papiers! fit-il tandis que la porte
se refermait derrière son étrange cliente. Encore
une tapée qu'écrit des pages et des pages à son
gigolo qui sait peut-être seulement pas lire.

La minuscule gare de Quincy, pas beaucoup
plus grande qu'une maisonnette de garde-bar-
rière, est flanquée d'une rangée de tilleuls assez
malingres au pied desquels pousse une herbe
rare, grillée dès le printemps, et qui ne retrouve
quelque fraîcheur qu'à l'arrière-automne au moment où les brises du nord vont la jaunir de
nouveau. A leur vue, la voyageuse solitaire sur-
sauta et parut les compter du regard. Quatre.
Quatre Tilleuls... Elle eut un sourire ambigu.

La marchande de journaux traversait la place,
poussant devant elle sa voiture. C'était une de
ces vieilles Landaises au visage doré, aux yeux
pâles. Elle tendit vers la passante la dernière
édition du *Courrier de Bayonne* que celle-ci prit
machinalement, après avoir glissé vingt francs
dans la petite main crochue, grasse d'encre.
Cette libéralité lui fit souvenir qu'elle ne devait
avoir en poche que quelques sous. Elle les jeta

un peu plus loin, dans un champ, à la volée. Dès ce moment elle n'avait plus besoin de rien.

Elle fit le geste de jeter aussi le journal, et se ravisa. Tandis qu'elle examinait la feuille encore pliée, le même sourire ambigu reparut sur ses lèvres et y resta longtemps.

Le chemin qu'elle suivait rejoint la route de Pauriac, mais elle tourna délibérément le dos au village et reprit sa marche vers le nord-est, à travers un paysage d'une monotonie écœurante sous un ciel gris. Elle allait d'un pas égal, d'un pas d'homme, et lorsque les maisons de Genoude lui apparurent, à la corne d'une pinède dont les derniers incendies avaient fait une espèce de lande difforme hérissée de troncs noirs, elle regarda l'heure et constata, non sans surprise, qu'elle était en avance de vingt minutes. Détachant la montre de son poignet, elle la lança dans les broussailles, au loin.

Un suprême effort l'amena jusqu'à la ligne de chemin de fer, beaucoup moins proche qu'elle ne l'avait cru, car à la sortie de Genoude, la voie fait une large courbe et elle l'avait longée sans la voir. Elle s'assit sur le remblai, en frissonnant. Depuis l'avant-veille, elle avait peu mangé, point dormi, et la certitude d'atteindre enfin le but la laissait brisée, avec un immense besoin de sommeil. Mais dès qu'elle fermait les yeux pour se donner au moins la brève illusion du repos, les images écartées si péniblement au cours des heures ultimes revenaient vers elle comme des bêtes, si réelles, si vivantes qu'elle eût cru pouvoir les repousser de la main.

Elle revoyait sa triste enfance, les visages haïs de ses nourrices, toujours changeantes car l'ancienne religieuse sa mère, réduite pour vivre à de médiocres emplois de gouvernante errait de place en place et de ville en ville, poursuivie par la crainte maladive d'être reconnue et démasquée. Cette crainte avait d'ailleurs pris peu à peu le caractère d'une véritable obsession que sa fille partagea bientôt obscurément, par ce mimétisme nerveux si remarquable chez les enfants. De la foi qu'elle avait perdue la malheureuse défroquée n'avait gardé que des habitudes indéracinables, le goût des « foyers chrétiens », une méfiance insurmontable des impies, des mal-pensants. Le service de tels maîtres lui eût paru le comble de la déchéance et leur indulgence dédaigneuse, ou peut-être leur approbation, l'aurait moins humiliée à ses yeux que déclassée, — le déclassement, dernier cercle de l'enfer bourgeois, damnation sans recours!... En vain se jurait-elle chaque fois de garder le silence sur son passé. Dès qu'elle avait respiré de nouveau cet air tiède, un peu fade, détendu ses nerfs surmenés, il semblait qu'une force inconnue triomphât de sa volonté, de ses terreurs, et tout à coup, sous le plus futile prétexte, la confidence sortait d'elle-même, aggravée de réticences et de mystère, la parole irréparable, une allusion d'abord discrète, puis plus claire à l'ancienne vie, au paisible paradis perdu. Délivrance précaire, hélas! Car à peine échappée cette part de son secret, elle ne respirait plus que dans la crainte qu'un hasard le révélât tout entier. Alors elle multipliait fébrilement les mensonges, s'acharnait à brouiller sa piste jusqu'au jour où se jugeant prise à son propre piège, elle demandait son compte, et s'enfuyait comme on fonce, traînant à sa suite avec des précautions et des ruses de ravisseuse d'enfant, la petite fille, son remords vivant, dont elle eût été incapable de se séparer tout à fait. Après avoir ainsi connu vingt foyers de hasard — les pauvres maisons paysannes où sa mère allait la visiter en grand mystère — la malheureuse enfant dut courir encore d'école en école jusqu'au jour où — Evangeline avait alors dix-sept ans — l'ancienne religieuse laissa échapper son secret. Elles ne devaient se revoir que dix ans plus tard, à Mégère.

D'un geste machinal, elle éleva son poignet à la hauteur de ses yeux, se rappela soudain qu'elle avait jeté sa montre, et son cœur se serra tandis qu'elle jetait un regard vers l'horizon gris d'où s'élèverait bientôt le panache de fumée qui allait fixer son destin. Mégère!... Au souvenir de l'aventure incroyable, elle eut un furtif sursaut d'attention qu'éveille en vous le titre d'un livre lu jadis, et qui vous a passionné. Rien de plus. Le meurtre de la vieille dame n'était pour elle, à ce moment, qu'une sorte d'accident presque négligeable, une péripétie sans grand intérêt au regard de ce qui l'avait suivi. Elle n'avait d'ailleurs pas prémédité ce crime, ou si peu. Parmi tant de mensonges, un passage de la lettre qu'elle venait d'écrire n'exprimait que la vérité, si invraisemblable qu'elle fût. C'était réellement Mme Louise qui, désespérant d'arracher à sa maîtresse plus qu'un legs médiocre et banal, avait rêvé de placer sa fille auprès de l'héritière. Ainsi croyait-elle lui assurer pour longtemps, pour toujours peut-être, cette sécurité qu'elle avait poursuivie elle-même sans l'atteindre. Il était peu probable, en effet, que la faible orpheline échappât jamais au pouvoir de la femme audacieuse et lucide qui avait forcé sa solitude. Mais c'est l'héritage lui-même qui avait failli tomber en d'autres mains! L'ancienne religieuse prévenue par l'homme d'affaires même de l'archevêché, principal artisan de l'intrigue, s'était efforcée d'obtenir de sa fille qu'elle tentât, au nom, bien qu'à l'insu, de la petite-nièce, une démarche désespérée dont elle eût pu attendre la réconciliation des deux femmes, si éloignées l'une de l'autre par l'âge, les habitudes, une ignorance réciproque de leur véritable nature et un orgueil démesuré... Le seul hasard avait fait le reste.

Non! elle n'éprouvait décidément aucun remords de ce crime fortuit. L'atroce jalousie

qui la déchirait depuis des semaines, depuis que
la trahison lui était apparue certaine et qu'était
entrée en elle, au plus profond de ses entrailles,
la conviction d'avoir à lâcher un jour ou l'autre
sa jeune proie, semblait elle-même s'éteindre,
faute d'aliment. L'obscure fierté d'avoir joué
jusqu'au bout, de jouer au-delà de la mort, un
rôle extraordinaire, fait à sa mesure, à la mesure
de sa puissance de dissimulation et de mensonge,
l'emportait sur tout autre sentiment. Ce rôle, les
circonstances le lui avaient imposé sans doute,
car s'étant trouvée de nouveau face à face —
deux fois dans le même jour — avec l'infortuné
prêtre, et reconnue, il ne lui restait pas d'autre
chance d'échapper — provisoirement du moins
— au désastre où elle eût entraîné sa mère et
son amie toujours chérie. Mais enfin, elle avait
tenu l'impossible gageure. Et aucun raisonnement n'eût été capable d'abattre en ce moment
sa fierté; car elle ignorerait toujours, elle n'aurait pu comprendre, elle n'eût jamais voulu
convenir que croyant tout devoir à son énergie
et à sa ruse, elle avait réellement vécu toute
éveillée un sinistre cauchemar, où de plus lu-
cides eussent reconnu une à une les images aber-
rantes nées du remords maternel, cette obsession
du prêtre, de ses manières, de son langage qui
avait empoisonné tant d'années la conscience
bourrelée de l'ancienne religieuse.

Elle descendit du remblai, fit quelques pas,

s'assit lentement sur les rails, puis dépliant son journal, l'étendit avec un sourire à la place même où elle allait poser sa tête. Et sa joue se posa comme d'elle-même sur le titre, imprimé en lettres grasses, d'un simple fait divers dont les lecteurs du *Courrier de Bayonne* prenaient sans doute à la même heure connaissance, mais qu'elle ne devait jamais lire.

ACCIDENT, CRIME OU SUICIDE ?

On a retrouvé hier dans la Bidassoa, le cadavre défiguré d'un jeune garçon d'une quinzaine d'années que le courant a sans doute roulé sur une grande distance, et dont on désespère de pouvoir établir l'identité.

BRODARD ET TAUPIN — IMPRIMEUR - RELIEUR
Paris-Coulommiers. — France.
05.401-VI-1-98 - Dépôt légal n° 3282, 1er trimestre 1964.
LE LIVRE DE POCHE - 4, rue de Galliéra, Paris.

LE LIVRE DE POCHE

VOLUMES PARUS ET A PARAITRE
DANS LE 2e SEMESTRE 1963

JUILLET

JEAN DE LA VARENDE
Man' d'Arc.

JOHN STEINBECK
A l'Est d'Eden.

GILBERT CESBRON
Avoir été.

ROBERT BRASILLACH
Comme le temps passe.

STEFAN ZWEIG
Amok.

SEPTEMBRE

MORRIS WEST
L'Avocat du diable.
FRANÇOIS MAURIAC
Le Sagouin.
J. HASEK
Le Brave Soldat Chveik.
TENESSEE WILLIAMS
Un Tramway nommé Désir *suivi de*
La Chatte sur un toit brûlant.
JEAN ANOUILH
Colombe.

NOVEMBRE

HENRI BOSCO
Malicroix.
BORIS PASTERNAK
Le Docteur Jivago.
BLAISE CENDRARS
Rhum.
VICKI BAUM
Prenez garde aux biches.
GUY DE MAUPASSANT
Fort comme la mort.
ROMAIN ROLLAND
L'Ame enchantée (t. I).

AOUT

VIRGIL GHEORGHIU
La Seconde Chance.
MAZO DE LA ROCHE
La Naissance de Jalna.
JEAN GIRAUDOUX
Electre.
FRANÇOISE MALLET-JORRIS
Le Rempart des béguines.
PHILIPPE HÉRIAT
La Foire aux garçons.
MARC BLANCPAIN
La Femme d'Arnaud vient de
mourir.

OCTOBRE

ALPHONSE DAUDET
Contes du lundi.

JEAN GIONO
Le Chant du monde.

LAWRENCE DURREL
Balthazar.

FRANÇOIS MAURIAC
Le Baiser au lépreux.

DÉCEMBRE

ROMAIN ROLLAND
L'Ame enchantée (t. II).
FRANÇOISE SAGAN
Aimez-vous Brahms ?
PAUL VIALAR
La Rose de la mer.
AXEL MUNTHE
Le Livre de San Michele.
MALAPARTE
Le Soleil est aveugle.
PAUL CLAUDEL
L'Otage. Le Pain dur. Le Père
humilié.

LE LIVRE DE POCHE
CLASSIQUE